# Kathleen Karr

# La longue marche des dindes

Traduit de l'américain par Hélène Misserly

Neuf

*l'école des loisirs*

11, rue de Sèvres, Paris 6ᵉ

© *1999, l'école des loisirs, Paris pour l'édition en langue française*
© *1998, Kathleen Karr*
*Titre original : «The Great Turkey Walk»*
*(Farrar, Straus & Giroux, New York)*
*Loi n° 49.956 du 16 juillet 1949 sur les publications*
*destinées à la jeunesse : avril 1999*
*Dépôt légal : juillet 2003*
*Imprimé en France par la Société Nouvelle Firmin-Didot*
*au Mesnil-sur-l'Estrée (64495)*

*À Elaine Chubb,*
*éditrice par excellence*

# Un

J'ai toujours bien aimé les oiseaux, et tout particulièrement les volailles. Ça tient peut-être à ce que Tante Maybelle s'est mise drôlement tôt à m'appeler «cervelle d'oison» ou «cervelle de p'tit pois». Et elle nasillait tant que je comprenais «cervelle de p'titpan».

Je comprenais aussi que c'était une injure, vu la taille de presque toutes les cervelles d'oiseau. Petites. Minuscules. Quasi inexistantes. Pourtant, je ne l'ai jamais pris comme ça. La première fois que j'ai entendu «p'titpan», au lieu de me vexer, j'ai trotté voir la maîtresse d'école pour qu'elle me dise ce que c'était que cet oiseau-là. Miss Rogers, elle a tout de suite ouvert son exemplaire tout corné du *Webster* – c'est le meilleur dictionnaire de nos États-Unis – et elle m'a montré qu'il n'existait pas de «p'titpans», mais des paons, petits ou grands, qui étaient «l'ornement des basses-cours».

Je me suis mis à me pavaner dans la classe.

– Les paons, c'est des oiseaux superbes, pas vrai, Miss Rogers?

Miss Rogers a souri.

— Ils suppléent par leur élégance au peu d'esprit qu'ils ont, Simon.

Miss Rogers parlait toujours comme ça. C'était une dame élégante de la tête aux pieds. Moi, je ne pensais pas avoir cette élégance-là, et je me fichais d'être attifé comme l'as de pique. Mais j'étais drôlement balèze. Ça sautait aux yeux du premier idiot venu. À tout juste quinze ans, je dépassais d'une bonne tête ou de deux ma tante, mon oncle, mes cousins, les élèves de l'école — et Miss Rogers aussi, pour sûr. Elle, elle était haute comme trois pommes. Mais je l'aimais beaucoup.

Aussi, j'ai trouvé bien triste le jour où l'école a fermé à la fin d'une année scolaire de plus. Miss Rogers m'a demandé de rester après les autres pour tout ranger. J'ai pris comme d'habitude le balai et j'ai commencé à chasser la poussière dans la cour.

— Simon ?

— Oui, m'dame ?

— Pose ton balai. En fait, je souhaitais te parler en tête à tête.

— Oui, m'dame ?

Elle m'a désigné une place sur le banc en face de son bureau. Je me suis assis sans lâcher le balai. Je ne savais pas trop où le poser tant que je n'avais pas fini le ménage.

— Simon, elle a répété. Simon.

J'ai souri de toutes mes dents.

— Y a pas : vous avez mon nom sur le bout de la langue, Miss Rogers.

— C'est exact, elle a soupiré. Cela n'a rien de surprenant.

Sa bouche s'est plissée comme pour une moue. Elle jouait avec une boucle de ses cheveux d'or.

— Simon, elle a repris, il m'est très pénible de te le dire, mais tu te rends bien compte…

— Oui, m'dame ?

— Tu te rends bien compte que tu viens d'achever ton CE1. Pour la quatrième fois.

— Oui, m'dame. Ç'a été encore plus plaisant que d'habitude.

Elle a froncé les sourcils.

— Quoi qu'il en soit… (Elle s'est tue, puis elle a inspiré profondément et elle a lâché, dans le souffle :) Je crois que tu as exploré jusqu'au tréfonds les arcanes du CE1, Simon. Je crois qu'il est temps pour toi de le quitter.

J'ai sauté de joie.

— Ça veut dire que je vais enfin passer en CE2 ?

— Hélas non. Tu es déjà le plus âgé de mes élèves, Simon Green. Si fort que j'aie pu apprécier ta compagnie, il est temps pour toi d'affronter le monde. De déployer tes ailes.

— Vous me flanquez dehors, Miss Rogers?

— Je t'octroie ton diplôme, Simon. Ce n'est pas pareil.

J'ai fourragé dans mes cheveux. Une épaisse crinière de poils blonds, mais pas soyeuse et dorée comme la chevelure de Miss Rogers. On aurait plutôt dit du foin au moment de la moisson et ça ne l'arrangeait guère de l'ébouriffer, mais ça m'aidait à réfléchir. Je ne m'étais pas attendu à être diplômé avant un bon paquet d'années: s'il m'avait fallu aussi longtemps pour venir à bout du CE1, le CE2 et le CM1 n'auraient pas été de la tarte. Et je ne parle même pas du CM2, qui est la dernière classe de l'école.

— Tu me manqueras, Simon. Ta façon de débiter le bois en bûchettes pour le poêle. Et de tout nettoyer et réparer... Et ta gentillesse avec les tout petits...

— Qu'est-ce que je vais faire, maintenant? j'ai coupé. Oncle Lucas et Tante Maybelle, ils sont bien plus contents quand je suis à l'école.

— Ne peux-tu pas rendre des services à la ferme?

J'ai haussé les épaules.

— Mes cousins, ils ne tiennent pas à ce que je me mêle de leur héritage. Mais ils disent que je m'y connais pour semer la m... le crottin. Vous croyez qu'il y a de l'avenir pour moi dans le fumier, Miss Rogers?

Je me suis senti tout ragaillardi à cette perspective, mais elle a secoué la tête.

— Tout le monde n'apprécie pas tes talents les plus rares, Simon. Mais je suis certaine…

Elle s'est levée de derrière son bureau.

— Oui, je suis certaine que tu as ta place en ce monde. Réfléchis à ce que tu aimes le mieux faire, Simon. Réfléchis-y de toutes tes forces et je suis certaine que tu trouveras ta voie.

— Merci, Miss Rogers.

J'avais compris qu'elle me donnait congé. J'ai rangé le balai pour la dernière fois et je suis parti pour la ferme.

Pendant les cinq kilomètres et quelques du trajet de retour, j'ai tourné et retourné dans ma tête les paroles de Miss Rogers. Une phrase surtout m'obsédait: «Il est temps de déployer tes ailes… Déploie tes ailes.»

Un faucon a filé comme une flèche au-dessus de ma tête et j'ai suivi son vol des yeux. Droit sur l'élevage de dindes du voisin. Ma cervelle de paon (je l'appelais toujours comme ça) a fait tilt à la vue de ce troupeau. Je m'en suis approché et les dindes m'ont fixé en gloussant.

— Bonjour, Simon.

J'ai jeté un coup d'œil derrière moi.

— Ah! Bonjour, monsieur Buffey. J'admirais la belle mine de vos volailles.

— La belle mine peut tuer, il a tout de suite ronchonné. (Tout le monde savait que M. Buffey était le plus grand ronchon du Missouri.) Cette année, elles se sont reproduites comme des mouches chaque fois que je les surveillais pas. Le troupeau a positivement triplé.

— Une sacrée veine, j'ai suggéré.

— Une sacrée guigne quand il n'y a pas de marché.

Il a pris une carotte de tabac dans sa poche et il a mordu dedans avant de continuer:

— À c't'heure, me v'là avec tout un tas de dindes voraces qui me tondent la laine sur le dos.

— Vous pouvez pas aller les vendre à Saint Louis?

— C'est une trotte de soixante-quinze kilomètres, il a ronchonné de plus belle. Et ils ont bien assez de dindes, là-bas.

— Eh ben, à mon avis, monsieur Buffey, à mon avis...

— Je serais ravi de connaître ton avis, Simon, il a dit en crachant une giclée de jus de chique.

Ces idiotes de dindes se sont ruées dessus. J'ai repris:

— À mon avis, si personne n'a envie de dindes au Missouri, il faut les emmener là où on en a envie.

— Sûr et certain, il a ricané. Ça me prendra jamais que tout l'été de convoyer à pied un millier de dindes dans l'Ouest où on pleure après.

J'ai fourragé dans mes cheveux.

— Où ça, dans l'Ouest, monsieur Buffey?

— Dans une ville comme Denver, par exemple. Je viens juste de lire un article sur Denver, dans le journal. C'est la plus grosse ville champignon qu'on ait jamais vue, avec des rues quasiment pavées d'or. Mais on n'a rien à s'y mettre sous la dent que du pain, des fayots et du café. Des dindes sur pied se vendraient bien cinq dollars pièce.

— Et elles valent combien, ici?

— Vingt-cinq cents.

Il a craché de dégoût pendant que je fixais le troupeau.

— J'ai rien à faire de tout l'été, monsieur Buffey.

— Et alors?

— Alors, comme rien ne me retient ici, monsieur Buffey, je pourrais conduire vos dindes à Denver.

Il a éclaté de rire.

— Toi, Simon? Toi, tu conduirais mes dindes à Denver? À plus de mille kilomètres!

Et il s'est esclaffé de plus belle, comme si je venais de lui raconter la meilleure de l'année.

Bon, quelques mots blessants, passe encore, mais je n'aime pas que les gens se moquent carrément de moi. J'ai repris ma route vers la ferme sans même lui dire au revoir.

Ce soir-là, au dîner, j'ai fait glisser trois grosses côtelettes de porc dans mon assiette.

— Passe-moi donc les patates, Cousin Ned…

Une montagne de purée est venue tenir compagnie à mes côtelettes. J'ai noyé le tout dans une sauce bien épaisse et je m'en suis enfourné une bonne bouchée.

— Oncle Lucas?

— Quoi? Parle pas la bouche pleine.

J'ai avalé ma bouchée et, tout affamé que j'étais, je n'ai pas tout de suite enchaîné sur la suivante.

— Tu sais, ce vieux chariot tout déglingué qui est derrière l'écurie?

— Ouais. Eh ben?

— Est-ce que je pourrais l'avoir si je le réparais?

En guise de réponse, Oncle Lucas a grogné. Les cousins Ned, Homer, Pete et Marcus m'ont fixé de leurs petits yeux en trous de bottine par-dessus leurs assiettes pleines à ras bord. Ils calculaient probablement la part de leur héritage que représentait ce vieux chariot. Au bout de la table, Tante Maybelle aussi a paru intéressée.

— Qu'est-ce que tu ferais de cette épave, Simon?

Je me suis enfourné une autre bouchée, en réfléchissant. Finalement je lui ai craché la nouvelle.

— J'ai eu mon diplôme aujourd'hui. Le chariot me servira à me lancer dans les affaires.

Six paires d'yeux bleus et sournois m'ont lancé le même regard en dessous.

— À mon compte, j'ai ajouté.

Et j'ai mordu dans une côtelette pour les laisser digérer ça.

Tante Maybelle s'est tamponné le coin de l'œil du coin de son tablier.

— Tu nous quitterais, Simon? Après toutes ces années?

— Si Dieu le veut, Tante Maybelle.

Oncle Lucas a lampé une gorgée de son cidre.

— Supposons que tu répares ce vieux chariot.

Il a marqué une pause.

— Supposons que je te le donne. Par bonté de cœur. Comme une sorte d'héritage. En mémoire de ma chère sœur Samantha – Dieu ait son âme – qui nous a quittés depuis dix longues années.

— Et sûrement pas en mémoire de son vaurien de mari Samson, qui nous a quittés depuis ces mêmes dix longues années, mais pas pour recevoir au ciel la couronne des âmes pures.

Tante Maybelle n'a pas pu retenir cette pique. Elle ne s'en était pas privée une seule fois pendant les années en question. Ça me faisait toujours m'interroger sur ce père dont je me souvenais à peine. J'ai reposé mon os proprement nettoyé et entamé ma deuxième côtelette.

— Tant qu'on est à supposer..., a repris Oncle Lucas en me scrutant du regard. Qui c'est qui le tirerait, ce chariot?

— Mes mules, j'ai répondu tout d'un trait. Mes quatre mules et mulets que j'ai nourris au biberon quand leur maman les a abandonnés tout petiots.

Ça a déclenché un beau charivari.

— Papa, a glapi Cousin Homer, depuis quand ces mulets y sont à Simon?

— Juste parce que Simon les a élevés? Ned a ajouté.

— Et qu'il les a dressés? Marcus a enchaîné.

— Juste parce qu'ils obéissent qu'à lui! Pete a pleurniché.

J'ai liquidé le restant de ma purée et de ma sauce et j'ai attiré le plat de côtelettes.

— Je vous les paierai.

Silence abasourdi.

— Et je vous paierai aussi la charge de grains de maïs dont j'aurai besoin.

— Mais, Simon, t'as pas la queue d'un cent à ton nom, a finalement bredouillé Tante Maybelle.

— Je ne vous paierai pas maintenant, mais à la fin de l'été.

— T'imagines que je vais te vendre ces mules et ce maïs à crédit, Simon? a fait Oncle Lucas en écarquillant ses yeux de cochon.

J'ai déposé trois côtelettes de plus dans mon assiette et je les ai nappées de sauce sans me presser.

— Ouais. Si vous voulez être débarrassés de moi pour de bon.

Les cousins se sont mis à se pousser du coude en me regardant. Ned a enfin lancé :

— Écris un contrat, Papa. En bonne et due forme.

— En quoi ?

— Légal et tout, Papa. Tu lui feras le signer, Ned a ricané. Il sait signer son nom. Il peut, après quatre ans de CE1 !

Le ricanement a dégénéré en fou rire. Ned a réussi à se calmer pour conclure :

— Écris bien que ce chariot est l'héritage de Simon pour solde de tout compte.

— Pour quoi ?

— Qu'il a droit à rien d'autre comme héritage, Papa. Et marque aussi le prix des mules et du grain. Au cours du jour.

Tante Maybelle s'est levée :

— Et si on prenait un morceau de tarte pour fêter l'affaire de notre Simon ?

Personne ne m'a demandé ce que ça pouvait bien être que cette affaire.


Après le dîner, je me suis mis torse nu dans la cour, et j'ai versé un plein seau d'eau sur ma tête et sur mes épaules. Puis j'ai enfilé ma chemise des dimanches et aplati mes cheveux du mieux que j'ai pu. Cousin Pete m'épiait, comme de bien entendu.

— Simon a une amoureuse ! Simon a une amoureuse !

Je n'ai pas daigné lui répondre. J'ai juste enfourché à cru ma mule de tête, Étincelle, et j'ai pris la route vers Union. Je n'ai pas mis longtemps à arriver à l'école et à frapper à la porte de derrière. C'était celle de Miss Rogers. Elle a ouvert, l'air un peu étonné.

— Tiens ! Simon !

— Bonsoir m'dame.

J'ai sautillé d'un de mes grands pieds sur l'autre pendant un petit moment. Tout le temps qu'il lui a fallu pour m'examiner.

— Tu es sur ton trente et un, Simon, dis-moi. En quel honneur ?

— Je me demandais si je pourrais vous dire un mot, m'dame.

— Très volontiers, Simon. Même si nous ne nous sommes quittés que cet après-midi.

Elle s'est écartée et m'a fait signe d'entrer dans son petit logis.

Je n'y avais encore jamais mis les pieds. Pas une fois durant toutes ces années d'école. C'était son territoire. La plupart des créatures en ont un. Le mien était sous ce même vieux chariot que je venais de sauver de la décrépitude. J'avais passé bien des nuits d'été sous son châssis, tout heureux d'être loin de la ferme et de mes cousins. Je regardais les étoiles à travers les lattes disjointes en me demandant si ma mère était quelque part là-haut à veiller sur moi. Et maintenant je me tournais lentement de tous côtés, en inventoriant le territoire de Miss Rogers.

— Je me doutais bien que ça serait joli. Tout comme vous, m'dame.

Elle a souri.

— Prends un siège, Simon. Je vais nous faire du thé.

Il n'y avait que deux chaises dans un coin, à côté d'une table minuscule. J'en ai pris une en me demandant que faire de mes longues jambes. Elles ne m'avaient jamais paru si encombrantes dans la classe, de l'autre côté de la porte.

J'ai bientôt eu devant moi une tasse de porcelaine. Sur une soucoupe. Avec des roses peintes dessus. L'anse de cette tasse semblait prête à se briser si je l'effleurais du bout de mes gros doigts. Une théière assortie est venue la rejoindre sur la nappe de dentelle. Miss Rogers s'est assise à côté de moi. Elle a lissé sa jupe.

— Nous allons laisser le thé infuser quelques minutes, Simon.

— Oui, m'dame.

Nous avons attendu, les yeux fixés sur la théière. Miss Rogers s'est enfin décidée à la prendre et nous a servis tous les deux.

— Je t'écoute, elle a dit en souriant. Mais bois d'abord, Simon. J'ai découvert que le thé aidait à se détendre.

J'ai soulevé ma tasse en essayant de ne pas me ridiculiser. Ce thé était comme elle avait dit : apaisant. La tasse a repris sa place sur la soucoupe. J'ai respiré un bon coup.

— C'est au sujet de mes ailes, m'dame. J'ai commencé à les déployer.

Elle a soulevé un sourcil.

— Déjà ?

— Oui, m'dame. J'ai le chariot, les mules et le maïs. Il me manque plus que les dindes.

— Les dindes ? elle a fait en reposant sa tasse. Des dindes ?

— Oui, m'dame. M. Buffey en a mille de reste et je peux les avoir pour vingt-cinq cents pièce.

J'ai posé mes coudes sur la table et j'ai commencé à lui expliquer pour Denver et la marche des dindes.

Miss Rogers, elle m'a écouté tout du long. Elle écoutait pour de bon. Le temps que je finisse, ses sourcils s'étaient haussés jusqu'à la racine de ses cheveux. Elle les a remis en place du bout des doigts.

— C'est une histoire stupéfiante, Simon.

– C'est pas une histoire. C'est un fait pur et simple, j'ai protesté en ôtant mes coudes de la table. Et je connais les dindes. Je suis à l'aise avec elles. C'est quelque chose que je peux faire, Miss Rogers !

– Oui... (Elle s'est rappelé que son thé refroidissait et elle a repris sa tasse.) Oui. Je crois sincèrement que tu en es capable. Comment puis-je t'aider ?

Je savais très bien comment. C'est pour ça que j'étais venu.

– Eh ben d'abord, je n'ai jamais été trop fort en multiplications. Mais c'est des beaux chiffres bien ronds. Je voudrais bien que vous vérifiiez mes calculs, Miss Rogers.

Je lui ai tendu un bout de papier.

– Vous voyez ? Mille dindes multipliées par vingt-cinq cents. Je crois que ça fait deux cent cinquante dollars, non ?

Je lui ai jeté un petit coup d'œil, mais Miss Rogers, elle n'avait même pas eu besoin de regarder le papier. Elle rayonnait.

– Tu as pensé à tenir compte des zéros ! Et à bien placer la virgule des décimales ! Je suis fière de toi, Simon !

– Merci, m'dame.

Cette sacrée virgule m'avait donné pas mal de fil à retordre, mais j'en arrivais maintenant au plus dur. Je me suis demandé que faire de mes mains pour les empêcher de se mêler à la conversation. J'ai fini par m'asseoir dessus.

– Il me reste plus qu'à trouver deux cent cinquante dollars pour acheter le troupeau de M. Buffey. J'ai besoin d'un associé, Miss Rogers. Sûr et certain qu'à Denver, ses sous croîtront et se multiplieront comme les petits pains de l'Évangile.

Les sourcils de Miss Rogers se sont encore haussés. Jusqu'au ciel.

Ce soir-là, Étincelle et moi, on a trotté jusqu'à la ferme sur un petit nuage. Miss Rogers avait dit qu'elle n'avait jamais entendu de proposition aussi intéressante. Surtout venant de quelqu'un qu'on qualifiait généralement de cervelle de paon.

Nous devions nous retrouver le lendemain matin à la banque de la ville. Miss Rogers allait investir les économies de toute sa vie d'institutrice dans mon convoyage de dindes. Ça voulait dire que j'étais forcé de réussir. Je ne pouvais rien envisager de plus triste que la perte de toutes ses économies.

De retour à la ferme, j'ai ôté la bride d'Étincelle et je l'ai brossée. Puis j'ai caressé le velours de ses longues oreilles.

– Toi et moi, on va se payer du bon temps, je lui ai murmuré. Toi, et moi, et tes frères. On va faire une longue, longue marche. On va voir le monde. Et on va devenir quelqu'un.

Après qu'Étincelle a eu brait son approbation, j'ai empoigné une couverture de selle et je l'ai étendue sous mon chariot. Et là, au lieu de compter les étoiles, je me suis demandé comment j'allais le réparer solidement. Très solidement.

## Deux

Ce chariot était redevenu comme neuf, ou presque, avant qu'une autre pensée me traverse l'esprit. La pensée que j'avais oublié quelque chose. Ça devait être une semaine plus tard, ou peu s'en faut.

Entre-temps, j'étais allé voir M. Buffey pour négocier l'achat de ses dindes. Quand on pense à la fleur que je lui faisais en le débarrassant de ces volailles voraces qui lui tondaient la laine sur le dos, on ne peut pas dire qu'il m'ait facilité les choses. Oh, bien sûr, il a cessé de rigoler dès que ses petits yeux chafouins ont vu la couleur de mon argent. Mais il s'est aussitôt mis à finasser.

– Tu veux te payer le plaisir d'anéantir mes volailles, Simon Green. Personnellement, j'ai rien contre.

Il a encore lorgné les billets que je tenais.

– Mais ce ne sont pas de vulgaires dindes blanches. Ce sont des dindes bronze qui valent bien plus que ce que tu m'offres.

Comme si je n'avais pas su dès le départ que

c'étaient des dindes bronze! Je ne suis pas daltonien, il me semble. Et c'était même une des raisons pour lesquelles je m'étais tout de suite entiché du troupeau de M. Buffey. Ses volailles étincelaient au soleil. Avec cette touche de vert dans leur plumage, elles étaient ce qui se rapprochait le plus des paons dans ce coin-ci. Et je tenais aussi pour sûr et certain qu'elles avaient meilleur caractère que les blanches. Un tempérament plus placide. Elles seraient plus faciles à mener.

— Ça ne vous rapportera rien d'essayer de monter votre prix, monsieur Buffey. (Et c'était bien ce qu'il essayait de faire. J'avais tout de suite pigé le topo. Ce n'est pas pour rien que j'avais observé des années durant les marchandages d'Oncle Lucas.) Une dinde est une dinde, quel que soit son plumage. Et je vous offre le meilleur prix du marché, en bon argent comptant. Le prix que vous m'avez indiqué vous-même il n'y a pas trois jours.

Il a craché de dépit.

— Il y a trois jours, je savais pas qu'on causait affaire, Simon.

— C'est à prendre ou à laisser, monsieur Buffey. (C'est aussi ce qu'aurait dit à cet instant-là Oncle Lucas, en s'éloignant un peu comme s'il s'en fichait. Et j'ai continué sur son modèle.) Y a d'autres troupeaux dans le coin. Je ferais bien d'y jeter un coup d'œil.

Après un farouche combat intérieur, le bonhomme a tendu la main pour rafler les dollars. Je les ai escamotés.

— Pas encore, monsieur Buffey. Vous aurez votre argent quand je serai prêt à partir.

— Ah pardon, si tu veux ces bestiaux, tu les embarques tout de suite. Et tu les nourris jusqu'à ton départ.

— Si vous trouvez un autre acquéreur d'ici là, vous pourrez les vendre à meilleur compte, monsieur Buffey.

Il a craché un autre jus de chique et enfoui ses doigts tremblants dans sa poche. Il savait aussi bien que moi qu'il ne trouverait pas d'autre acquéreur.

J'avais donc mes dindes et j'étais en train d'enfoncer un clou quand cette autre pensée qui me turlupinait m'a pour ainsi dire explosé dans la tête. Avec une telle force que j'en ai loupé le clou et me suis à moitié écrabouillé le pouce. Je me le suis fourré dans la bouche et je l'ai sucé. Quelqu'un devrait conduire le chariot de grains. Mais quelqu'un devrait aussi encadrer le troupeau de dindes. Et il n'y avait pas moyen que je fasse les deux en même temps.

— Nom d'un pétard! Il me faut un charretier!

J'ai reposé le marteau et filé vers la ville sur le dos d'Étincelle. J'ai découvert là-bas que tout le monde y discutait ferme de mon projet. J'aurais dû m'y attendre, vu qu'il ne se passe rien de bien excitant dans notre coin du Missouri. Mais j'ai constaté la vitesse avec laquelle le bruit s'était répandu quand les gars du bourg se sont mis à se pousser du coude en me voyant arriver. Exactement comme mes cousins l'avaient fait. Une demi-douzaine de feignasses qui avaient été en classe avec moi et avaient reçu leur diplôme depuis un bon bout de temps déjà ont initié le supplice.

— Hé! dis donc, regarde un peu!

— Ça serait-y pas un cow-boy sur le dos de son fier destrier?

— Non, c'est le dindon-boy montant son moche mulet, c'est Simon le Simplet...

— Green Simon, mince et long, sans rien dans le citron qu'un millier de dindons!

Je les ai ignorés et j'ai poursuivi mon chemin en passant devant le palais de justice du comté pour attacher Étincelle en face du grand bazar. Juste sous le nez du tas de bons à rien qui traînaient toujours là en taillant des bouts de bois et en crachant.

— Bonjour messieurs, je leur ai dit poliment. (J'ai récolté quelques grognements en guise de réponse. J'ai fait une nouvelle tentative.) Bonjour. Je cherche un charretier. Un muletier, pour être plus précis. En connaissez-vous un qui ait besoin d'une place?

Charley Kent s'est arrêté de tailler sa baguette pour donner une bourrade à Ed Heller.

— Qu'est-ce que t'en dis, Ed ? Ce garçon a posé poliment une question tout ce qu'il y a de simple. Qui on connaît qui peut mener des mules ?

— Marrant que tu demandes ça, Ed a ricané, vu que le meilleur muletier du pays est à même pas un jet de pierre de nous. T'en connais un autre qu'a fait la piste de Santa Fe ?

— Tu ferais pas allusion à Bidwell Peece ?

Charley a ricané en retour.

— Et à qui d'autre je pourrais faire allusion, Charley ?

Je me suis éclairci la gorge :

— Très aimable à vous de m'avoir cité un nom, messieurs. Avez-vous une idée de l'endroit où je pourrais trouver ce M. Peece ?

Un vacarme soudain, juste derrière mon dos, est alors venu troubler la sérénité matinale. Je me suis retourné pour voir le plus triste spécimen d'humanité que j'aie jamais rencontré traverser comme une balle les portes battantes du saloon et atterrir le nez dans la poussière sur la chaussée.

Charley et Ed me l'ont désigné en hurlant de rire.

Le bonhomme était étendu sans bouger dans un méli-mélo de jambes et de bras. L'instant d'après, un autre projectile a franchi les mêmes portes battantes.

Celui-là jappait. Naturellement, je me suis approché pour leur donner un coup de main. Ils paraissaient en avoir besoin. J'ai commencé par l'homme.

— Monsieur Peece ?

— Hein ?

Deux pupilles cernées de rouge m'ont fixé un instant. J'ai hissé le bonhomme sur ses pieds. Je l'ai épousseté.

— Monsieur Bidwell Peece ?

Il a passé deux mains calleuses dans sa chevelure grisonnante et clairsemée.

— Soi-même. Autant qu'il m'en souvienne, il a marmonné en remontant d'un pas titubant sur le trottoir. Peux quelque chose pour toi, mon garçon ?

— J'ai un travail à vous proposer, monsieur, j'ai répondu. Un travail et peut-être une petite aventure. Faites-moi l'honneur de considérer mon offre, s'il vous plaît.

Au prix d'un grand effort, M. Peece s'est redressé de toute sa taille. Même comme ça, il était du style petit format. Mais il y avait des muscles et du nerf dans ce sac de peau. Il avait juste besoin d'être remis en forme.

— Considérerai tout c'que tu veux si tu m'paies d'abord un verre, il a bafouillé.

Je l'ai écarté avec sollicitude du saloon.

— Les boissons fortes affaiblissent un homme,

monsieur Peece. Venez avec moi. On va avoir une bonne petite conversation.

Je me suis débrouillé comme j'ai pu pour le hisser sur le dos d'Étincelle et je l'ai ramené à la ferme. Là, je l'ai installé sur le banc de mon chariot et je me suis remis au travail. Naturellement, j'avais dû le ligoter pour qu'il reste là. Et le bâillonner aussi, quand il se mettait à blasphémer et à hurler. Tante Maybelle n'aurait apprécié ni le bruit, ni le bonhomme.

Je le déliais une fois par jour et je le portais jusqu'à la mare aux vaches où je lui faisais faire un petit plongeon. Le troisième jour, il a resurgi de l'eau en crachant et s'ébrouant. Aussi enragé qu'un chat mouillé.

— Qu'ça veut dire, ventrebleu! Qui diable es-tu?

Nous avons donc dû nous représenter dans les formes. Ses yeux n'étaient plus rouges. Ils étaient bel et bien devenus d'un bleu pervenche. Sobre, M. Bidwell n'avait plus rien d'une loque humaine. Mais il était encore faible comme un chaton. J'ai raflé ce qu'il fallait de vivres à la cuisine pour le gaver. Et nous avons commencé à parler sérieusement.

Il s'est d'abord inquiété d'Emmett.

— Qui est Emmett, monsieur Peece?

— Mon p'tit chien noir et blanc. Où peut-il bien être?

J'ai sifflé. Emmett est apparu sans se presser.

Franchement, je n'ai jamais vu d'expression comparable à celle de ce chien quand il a aperçu son maître en si bonne forme. Du bonheur pur. Il a enfin remué la queue, comme fou de joie. Naturellement, M. Peece s'est illuminé lui aussi comme s'il ressuscitait au paradis pour recevoir sa juste récompense. Ils ont folâtré un bout de temps, et puis nous en sommes revenus à notre affaire. L'affaire des dindes de Denver. Quand j'ai eu fini mon histoire, M. Peece a essuyé sa figure toute baveuse des baisers d'Emmett et il s'est approché d'Étincelle et de Boule-de-Neige qui se tenaient bien tranquilles dans leur enclos. Il leur a tout de suite examiné les dents.

— Sont vraiment d'belles mules, Simon.

— Je vous remercie. C'est moi qui les ai élevées.

Il s'est tourné vers Brunet et Danseur.

— Et d'beaux mulets aussi. Jeunes et forts. Pleins d'énergie.

— J'y compte bien, monsieur Peece.

— Ouais. Bien assez d'énergie pour les mille et quelques kilomètres de route jusqu'à Denver, il a dit en s'appuyant à la clôture. Avec un bon charretier, naturellement.

— Naturellement.

Il a caressé le flanc le plus proche. Mes mules ne se montraient pas ombrageuses du tout. Pas comme avec Oncle Lucas et les cousins.

— D'aussi belles bêtes méritent l'meilleur de tous.

– C'est tout à fait mon avis, monsieur Peece.

– De toute manière, l'est peut-être temps que j'me bouge d'ici, il a murmuré pour lui-même.

Puis il s'est tourné vers moi.

– Combien t'offres, mon garçon?

– Au charretier qu'il me faut?

– Au charretier qu'il t'faut.

J'ai fait mine de réfléchir, bien que j'aie déjà réfléchi à la question les trois jours pleins que j'avais passés à retaper M. Peece. J'ai enfin articulé:

– D'abord, le charretier qu'il me faut, c'est un homme qui aime mes mules. Je veux qu'il les traite bien. Parce qu'elles valent mieux que beaucoup d'êtres humains.

Il a hoché la tête.

– D'accord. Sur tous les points.

– Ensuite, je veux qu'il ait des intérêts dans mon affaire. Je crois que ça serait bien que mon charretier ait intérêt – un intérêt considérable – à nous conduire sains et saufs à Denver. (Là, je l'ai regardé dans le blanc des yeux.) Pas seulement lui, mais moi, les mules et les dindes. (M. Peece a hoché une seconde fois la tête.) Eh bien donc, pour un homme comme ça, je crois que c'qu'y aurait de mieux, c'est une association.

– Quel genre d'association, mon garçon?

– Un pourcentage. (Miss Rogers m'avait donné

quelques cours la semaine dernière. Des cours du soir sur les affaires, pour que je ne me fasse pas gruger à Denver.) Un pourcentage plutôt qu'un salaire. Ce que j'ai en tête, c'est cinq pour cent du prix de vente de mes volailles.

J'ai attendu sa réponse. Il calculait visiblement le montant que ça ferait, connaissant déjà le prix des dindes à Denver. Je n'avais pas eu besoin de le lui apprendre. Tout le pays le connaissait. Mais personne ne pensait que je parviendrais à Denver pour l'encaisser.

Bidwell Peece a recompté un peu sur ses doigts. Puis il a levé la tête.

— C't un salaire d'deux ans pour un travail d'deux mois. Alors forcément, on s'voit placer ce capital, et il vous vient à l'idée qu'on pourrait démarrer quelque chose avec. (Il a secoué la tête.) Alors on s'dit: cet Ouest sauvage, ça serait-il pas l'coin où commencer une nouvelle vie? (Il a marqué une pause.) Jamais été cupide, tu vois, mais un peu plus de sous m'y aiderait.

— C'est sûr. (J'ai étudié le bonhomme un moment.) À vous de voir, monsieur Peece, mais on pourrait envisager dix pour cent du prix de vente à Denver. (Là, j'ai marqué une pause.) Oui. On peut envisager ça.

Il m'a tendu la main.

— Marché conclu. Tope là, fils.

On s'est tapé dans la paume. Emmett s'est approché. Il s'est frotté contre ma jambe. Je le nourrissais depuis trois jours, mais c'était la première fois qu'il le faisait.

J'ai rempli à ras bord mon chariot de grains de maïs. M. Peece et moi, on a tendu une toile sur le maïs pour qu'il ne s'éparpille pas au moindre cahot. On a aussi fixé au-dessus un genre de toit. Il y avait juste assez de place entre cette bâche et le maïs pour y caser nos sacs de couchage et une batterie de cuisine. On pourrait aussi s'y abriter en cas de mauvais temps. On n'avait plus qu'à s'occuper du départ, le lendemain matin.

— Neuf cent quatre-vingt-dix-huit, neuf cent quatre-vingt-dix-neuf, mille. Voilà.

M. Buffey a commencé à repousser sa barrière de bois pour enfermer le restant de son troupeau de dindes qui grouillait encore derrière lui.

— Minute, monsieur Buffey, j'ai dit en retenant la barrière. Je n'ai compté que neuf cent quatre-vingt-quinze dindes. Cela ne fait pas le compte.

— Jamais de la vie, Simon Green, il a dit en pesant sur la barrière de tout son poids. C'est pas ma faute si tu sais pas compter !

Les petits bras nerveux de Bidwell Peece se sont cramponnés avec moi de notre côté de la barrière.

– Vous vous trompez tous les deux, il a fait. S'en faut de dix volailles. Moi, j'en ai compté neuf cent quatre-vingt-dix.

M. Buffey a vu rouge:

– Non mais dites donc! Je vais pas me laisser estampouiller par une demi-portion de soulaud du village! Je vais pas...

– Un instant, messieurs, s'il vous plaît.

C'était Miss Rogers, qui se lançait dans la bagarre. Elle était venue me voir partir, moi et les économies de toute sa vie. Parole, qu'elle était fraîche et pimpante dans sa robe d'été et son bonnet bleu ciel! Elle a souri à tout le monde.

– J'ai personnellement dénombré neuf cent quatre-vingt-cinq volatiles, monsieur Buffey. D'après moi, vous en devez donc quinze de plus à Simon.

La foule massée derrière Miss Rogers a approuvé bruyamment. La moitié du canton était accourue ce matin-là pour assister à l'événement. Et tout un chacun avait fait son propre pointage. Mais comme Miss Rogers était la seule maîtresse d'école présente, ils s'en remettaient tous à son expertise, sans savoir qu'elle avait investi les économies de toute sa vie dans l'affaire. Elle et moi étions seuls à le savoir – le directeur de la banque d'Union mis à part. Nous pensions que c'était mieux comme ça, voyez-vous.

– Donne-lui son compte, Buffey!

— Essaie pas de l'entourlouper !

Cette passion pour la justice n'avait rien à voir avec moi personnellement. Elle venait bien plus de ce que ma grande marche était l'événement le plus palpitant du comté de Franklin depuis les bagarres entre le Missouri et ce fichu État abolitionniste du Kansas sur notre droit à poursuivre chez eux nos esclaves en cavale. Les fermiers avaient alors parié sur le nombre de gens que John Brown massacrerait sur le territoire du Kansas. Ils pariaient maintenant sur le nombre de dindes que j'amènerais à Denver. Miss Rogers elle-même se permettait ce genre de choses qui, somme toute, lui paraissait une saine occupation mentale.

M. Buffey a lâché sa barrière.

— Vous essayez de me ruiner. Tous tant que vous êtes, il a grogné.

Mais j'ai eu les quinze dindes qu'il me devait.

Je me tenais donc au milieu de la route poussiéreuse, entouré d'un millier de dindes, nombre certifié par Miss Rogers elle-même. J'ai compté une dernière fois les deux cent cinquante dollars et je les ai tendus à M. Buffey. Il s'est jeté dessus, les a soigneusement recomptés. Puis il a tourné les talons pour retourner à sa basse-cour. Sans même un «merci bien, Simon Green».

— C'est un plaisir de faire des affaires avec vous, monsieur Buffey, je lui ai lancé.

La foule a ri et s'est éloignée de mon troupeau. Les dindes, elles, restaient tranquillement là, en regardant ce paysage tout neuf et en gloussant avec tout l'enthousiasme dont elles étaient capables. M. Peece a grimpé sur le siège du conducteur et a pris les rênes.

— T'es prêt, fils?

J'ai jeté un dernier regard autour de moi. Tante Maybelle, Oncle Lucas et les cousins se tenaient au premier rang de la foule. Je leur ai fait un signe de tête.

— Tâche à pas oublier l'argent des mules, Simon! Ned a crié.

— Ni celui du maïs! Oncle Lucas a ajouté.

— T'as bien noté notre adresse par écrit, comme je t'ai dit, pour pouvoir nous l'envoyer tout de suite? Tante Maybelle a demandé.

J'avais passé dix ans de ma vie près d'eux et ils ne se faisaient de souci que pour l'argent que je leur devais. J'ai hoché la tête. Ils repartaient déjà vers leur propre chariot, sans un regard de plus. Les autres fermiers s'en allaient également. Il ne restait que Miss Rogers. J'ai soudain ressenti comme un petit serrement de je ne sais quoi tout au fond de moi. Je me fichais bien de voir les talons des autres, mais ceux de Miss Rogers…

— M'dame?

— Cher Simon.

Elle est venue tout près de moi et elle m'a enlacé. Une vraie étreinte. Elle sentait le propre et le frais. Elle sentait bon. Comme le pain.

— Je compte sur toi, Simon, elle a murmuré. Et je te fais confiance pour triompher de chaque embûche de ta longue marche. Je prierai aussi pour toi, juste par mesure de précaution.

— Merci, m'dame.

Miss Rogers a reculé pour me regarder une dernière fois. Elle m'a fixé longuement, sans même remarquer qu'un de mes dindons picorait ses bottes en chevreau. J'ai doucement poussé du pied cette sotte bête.

— Tu es en train de grandir, Simon. Tu déploies pour de bon tes ailes. Durant ton voyage, ne laisse jamais les gens se moquer de toi ou de ton entreprise. Ils ne le feraient que par jalousie pure, parce que tu réalises quelque chose et qu'ils en sont incapables. Tu vas mener à bien une grande aventure, Simon, et, un de ces jours, tu seras un homme accompli.

Elle m'a glissé quelque chose dans la main.

— Tiens. Garde-le pour parer à une urgence imprévue. Et pour m'envoyer de tes nouvelles quand tu arriveras.

Elle m'a fait un clin d'œil.

— Et expédie-moi le compte exact des dindes que tu auras acheminées jusqu'à Denver. Tu comprends ?

— Oui, m'dame, Miss Rogers. Je comprends par-faitement.

J'ai empoché l'argent. Puis je me suis penché sur Emmett, qui attendait patiemment à mes pieds. Je l'ai gratté derrière les oreilles, là où il aimait.

— On va y aller, Emmett. T'inquiète pas si ces bêtes sont toutes plus grosses que toi. Toi, tu es plus malin. Tu es chargé du flanc gauche. Moi, je m'occuperai du flanc droit. On fera exactement comme on s'est entraînés à le faire à la ferme avec les poulets.

Emmett a jappé de plaisir.

— Je suis prêt, monsieur Peece, j'ai braillé en me redressant. Emmett et les dindes aussi. Nous sommes prêts.

— Youpi! M. Peece a crié.

Et notre longue marche des dindes a commencé.

## TROIS

C'était un magnifique jour de juin. Les champs de maïs verdissant ondulaient de part et d'autre de la route de l'Ouest. Mes dindes qui se dandinaient au milieu devaient être superbes à voir, avec leur plumage étincelant au soleil. Parole, elles ont filé comme des bolides dès qu'elles ont senti sous leurs pattes un petit avant-goût de liberté. Nous avons bien dû parcourir cinquante kilomètres le premier jour.

M. Peece menait ses mules en tête du convoi, et les dindes le suivaient comme s'il était le joueur de flûte d'Hamelin en personne. Emmett, il se croyait au paradis, tant il était heureux d'avoir des queues à mordiller et un troupeau à garder en bon ordre. Et le mieux de tout, c'est que, quand on a établi notre campement, on n'a pas eu besoin d'entamer notre provision de maïs. Les dindes se sont contentées de picorer l'herbe qui poussait tout autour avant de se nicher pour la nuit.

J'ai allumé un petit feu pour faire cuire notre dîner et je me suis allongé à côté pendant que M. Peece faisait griller quelques tranches de lard fumé dans la poêle. Une question me trottait par la tête.

— De quelle race il est, Emmett, monsieur Peece ? j'ai fini par demander tout haut.

— Eh ben, jusqu'à ce matin, j'croyais que c'était un fox-terrier. En général, les terriers aiment bien la chasse. Mais après cette journée, je m'demande s'il aurait pas dans les veines quelques gouttes de sang de chien de berger.

— Sûrement plus que quelques gouttes, j'ai dit en caressant le poil ras du chien qui s'était blotti sur mes genoux. Je crois bien qu'Emmett a trouvé sa place en ce monde, monsieur Peece.

Quand le jour s'est levé, je n'ai pas eu besoin de m'occuper de mes dindes. Elles descendaient déjà en vol plané des arbres où elles s'étaient nichées, elles grattouillaient l'herbe, et quelques-unes prenaient même toutes seules la route de l'Ouest. Je n'avais jamais vu de volailles aussi enragées de voyager.

Alors, naturellement, nous avons avalé en toute hâte notre petit déjeuner de café et de lard grillé. Pendant ce temps, Emmett s'amusait comme un fou à empêcher ces fichues dindes de partir pour Denver avant nous.

Le matin, les choses se sont assez bien passées. Nous avons traversé le hameau d'Adamsburg en occupant à peu près toute la route. Les gens secouaient la tête d'ébahissement en nous voyant arriver. Les charrettes et les chariots avaient tendance à prendre cette immense cavalcade de dindes pour une nuée de sauterelles. Ils se poussaient sur le côté de la route poussiéreuse et nous laissaient passer.

C'est seulement en atteignant la ville de Mount Stirling qu'on s'est trouvés confrontés à quelque chose à quoi je n'avais guère pensé. Naturellement, il y a dans cette vie des tas de choses auxquelles je n'avais guère pensé. Les rivières venaient en tête de liste.

J'avais pu jeter les yeux sur le Missouri. Plusieurs fois, même, vu qu'il coulait à quelques kilomètres à peine au nord de la ferme d'Oncle Lucas et d'Union, la ville où était mon école et où j'avais trouvé Bidwell Peece. Miss Rogers et moi, on avait un peu discuté de mon itinéraire. À la suite de quoi j'avais décidé de suivre la route tout du long en évitant le grand fleuve, vu que la voie ferrée longeait une de ses rives.

Remarquez, je faisais pas mal confiance à mes bêtes, mais j'étais sûr et certain que la voie ferrée ne serait pas leur tasse de thé. Mon troupeau ne s'était pas encore montré trop dissipé, mais essayez de le faire trotter près d'une locomotive qui crache sa vapeur en rugissant, et le diable seul sait quelles sottises il fera.

Il n'y avait pas de voie ferrée à Mount Stirling,

mais il y avait une rivière. La Gasconnade. En plein milieu. Coulant vers le nord pour se jeter dans le Missouri. Et nous coupant la route de l'Ouest.

M. Peece a conduit le chariot sur une aire de stationnement, juste au-dessus de l'embarcadère du bac. Le bac était en train de faire son plein de candidats à la traversée. M. Peece s'est retourné pour nous regarder, moi, Emmett et les dindes.

– Comment on va charger nos dindes sur ce p'tit bac, Simon? Faudra bien trente voyages pour les conduire sur l'aut'rive. (Il a ôté son vieux chapeau tout avachi pour s'essuyer le front.) Et puis faut considérer l'droit d'passage. Payer l'droit d'passage de mille dindes, ça nous lessiverait complètement.

J'ai jeté un coup d'œil sur le cours d'eau avec une certaine appréhension. La Gasconnade n'était pas un fleuve immense comme le Missouri, mais c'était sûr et certain trop rapide et trop profond pour que l'on passe à gué. Entre-temps, mes dindes s'étaient attroupées, tout excitées, s'entassant au bord de l'eau, gloussant, se rengorgeant et rejetant en arrière leurs petites têtes stupides. Emmett, il se tenait sur le qui-vive en attendant de savoir ce qu'on attendait de lui. Et, tout près, quelques douzaines de gars du cru commençaient à s'intéresser à notre situation.

– Ho dis donc, où c'est qu'i'croient aller, ces fichus corniauds?

— Hé dis donc, ils vont noyer leurs bestiaux et les libérer de c'te misérable vallée de larmes!

— Pourquoi qu'on leur épargnerait pas c'te peine-là? Ma foi, ça m'déplairait pas d'faire rôtir une ou deux d'leurs dindes pour l'souper. Et toi, George?

— Ben, maintenant qu'tu m'y fais penser, Elmer, ça m'plairait bien à moi aussi.

J'ai foudroyé du regard les bonshommes qui s'approchaient. Puis je me suis retourné pour étudier à nouveau la rivière. Je n'étais pas doué pour penser vite, mais c'était le moment ou jamais. Comment réagissent les oiseaux quand ils sont bel et bien épouvantés?

Bon, ça, je le savais. Mais pouvais-je compter que mes dindes obéiraient à leur instinct? Je me suis penché sur Emmett. Ses petites oreilles pointues se dressaient déjà dans l'attente d'un ordre.

— Fonce-leur dessus, p'tit gars! Chasse-moi ces dindes tout droit dans le fleuve!

Emmett m'a regardé d'un drôle d'œil pendant une seconde, mais je n'ai pas molli. J'ai contourné le troupeau sur son aile droite en poussant des hurlements effroyables. Aussitôt, Emmett s'est chargé de l'aile gauche, comme nous le faisions depuis un jour et demi. Seulement, cette fois-ci, il s'est mis à aboyer comme un fou. À nous deux, nous avons rabattu nos dindes tout au bord de la Gasconnade. Puis nous les avons poussées dedans.

À ce détail près qu'elles ne sont pas entrées dans l'eau. Au lieu de ça, elles ont déployé leurs ailes et se sont envolées. Toutes. D'un trait. Elles ont survolé l'eau droit vers l'autre rive. J'ai retenu mon souffle, sidéré par ce spectacle stupéfiant. Je n'avais jamais rien vu de si beau que ces dindes bronze planant avec tant de grâce dans le ciel. Je retenais encore mon souffle quand elles ont atteint l'autre rive.

Allaient-elles continuer à voler? Hors de ma portée pour toujours? Je voyais les économies de toute la vie de Miss Rogers se perdre à jamais dans le grand au-delà, au sein de quelque Jérusalem céleste des dindes.

J'ai enfin repris haleine quand elles ont atterri. Comme un seul homme. Et elles sont restées là, bien tranquilles. Le troupeau entier m'attendait de l'autre côté du fleuve! Elles ont même levé la tête – après avoir replié leurs ailes – oui, elles ont levé la tête et risqué un coup d'œil de mon côté, comme pour dire: «Qu'est-ce que tu attends, Simon? Nous, nous sommes ici.»

Je me suis tourné vers Bidwell Peece. Il était devenu pâle comme un spectre sous son hâle. Il a lentement plaqué son chapeau sur ses cheveux clairsemés, et tiré sur les rênes qu'il tenait encore d'une seule main. Étincelle et Boule-de-Neige ont conduit l'attelage au bas de la berge et sur le bac en attente. Emmett et moi, on a suivi. Pendant que le bateau larguait ses amarres, j'ai jeté un coup d'œil aux gars du bourg. Ils s'agglutinaient en une masse oscillante, trop incrédules encore pour dire un mot.

— Une belle dinde à rôtir vous coûtera cinq dollars je leur ai crié. Mais faudra venir l'acheter à Denver!

Mes dindes devaient être plus vannées qu'elles n'en avaient l'air par leurs exploits aériens. Nous ne nous étions guère éloignés de plus de deux ou trois kilomètres du fleuve quand nous sommes arrivés près d'un joli petit bois de noyers et de noisetiers pourpres. Sans attendre qu'on leur dise quoi que ce soit, mes dindes se sont ruées sur les arbres où elles se sont nichées pour la nuit. Il a suffi qu'une d'elles en ait l'idée et, en moins de deux, les mille dindes avaient pris leurs quartiers en enfouissant leurs têtes rouges sous leurs ailes.

Ça s'est fait si vite que j'ai dû rappeler M. Peece et le chariot. Il a pivoté sur son siège, il a écarquillé les yeux.

— Où diable elles sont passées, les volailles?

Je lui ai désigné les arbres.

Sa pomme d'Adam osseuse lui est remontée jusqu'au menton pendant qu'il se dévissait le cou pour vérifier ce qu'il ne pouvait pas croire.

— Mais l'est à peine trois heures d'l'après-midi!

— Vous voulez que je les fasse redescendre?

— Non, il a dit en sautant à bas du siège. Mais

j'boirais bien un verre. Pense que tous ces drames n'valent rien pour mon cœur.

Je lui ai tendu la gourde d'eau. Il l'a écartée.

— Pas à ce genre d'boisson-là que je pensais, fils.

J'ai tété la gourde un bon coup.

— Vous n'en verrez pas d'autre jusqu'à Denver — si ces dix pour cent vous intéressent toujours.

M. Peece a fixé d'un regard plein de concupiscence la route que nous venions de parcourir.

— Y a juste deux kilomètres ou trois d'ici la ville. Serai de retour au camp avant la nuit.

J'ai rebu un coup.

— Avant la nuit, j'aurai un nouveau charretier.

Il a hoché gravement la tête.

— Ouais… À voir comme tu te débrouilles, fils, t'en aurais sûrement un.

Il s'est repris et son visage s'est éclairé.

— Vu qu'on est ancrés ici pour des éternités, peux aussi bien en profiter pour concocter vite fait un d'mes délices culinaires.

J'ai recraché une gorgée d'eau.

— Par tous les saints du paradis, c'est quoi, un délice culinaire?

— Apporte-moi du p'tit bois, Simon. Un gros tas de p'tit bois. T'es sur le point d'apprendre que'ques tours de ma façon.

Au coucher du soleil, le parfum du délice culinaire de M. Peece devait embaumer pour le moins trois comtés. Il embaumait à tel point que nous avons récolté un drôle de chien perdu pour nous tenir compagnie au dîner.

Pour être franc, je n'avais guère contribué à l'élaboration de ce dîner, à part ramasser du petit bois. Après en avoir entassé une bonne pile près du chariot, j'étais retourné dans les bois où serpentait la Gasconnade. J'avais ôté mes bottes et mes chaussettes de laine et plongé mes doigts de pied dans l'eau. C'était drôlement bon, après tous les kilomètres que j'avais fait avaler ces deux derniers jours à mes pauvres petons. Bien plus de kilomètres que je n'en avais couvert durant ma vie entière, il me semblait. Et puis je m'étais endormi comme un bébé.

J'ai dû dormir un bout de temps, puisqu'à mon réveil, l'ombre avait commencé à s'étendre au-dessus de ma tête à travers les feuilles des arbres. Je me suis appuyé sur un coude et j'ai bâillé. Puis j'ai sursauté.

– Qui est là ?

Il m'avait semblé qu'un visage me fixait à travers l'eau. Un visage noir.

– Personne.

Je me suis assis.

– Si c'est personne, personne n'a pu parler. Ça tombe sous le sens, je veux dire. S'il n'y a vraiment personne, ici, alors…

Le visage s'est rapproché, suivi d'un corps qui a jailli de l'eau en m'éclaboussant.

— Je me rends. Je me rends à vous, maître. Vous n'avez pas l'air méchant. Mais donnez-moi quelque chose à manger. J'ai tellement faim.

— Du calme, j'ai dit en me redressant. Je ne suis le maître de personne et je n'ai jamais eu dans l'idée de l'être. Oncle Lucas lui-même n'a pas d'esclaves. (Je me suis arrêté de parler pour réfléchir une seconde.) D'autre part, il pensait peut-être qu'il avait son compte entre moi, les cousins et Tante Maybelle.

— Je sais pas ce que vous avez dans l'idée, maître, mais moi j'ai faim. Ce parfum a flotté de l'autre côté de ce bois jusqu'à moi et mon nez m'a mené jusqu'à vous. Je me rends. Vous pouvez toucher la récompense. Je m'en fiche. Mais donnez-moi quelque chose à manger.

Je me suis rappelé mes bottes et mes chaussettes.

— Attends que j'aie enfilé ces trucs.

Après quoi je me suis levé. Le garçon avait à peu près mon âge. Et ma taille aussi, entre deux de ses interminables courbettes. Mais en comparaison de moi il n'avait que la peau sur les os.

— Bon. Maintenant, on repart du début. Sans ton refrain de maître qui me chauffe les oreilles. Moi, je suis Simon Green. Toi, à part d'être personne, et affamé, t'es qui?

Il a fini par sourire de toutes ses dents.

– Jabeth Ballou, du comté de…

J'ai levé la main.

– Stop. Je veux pas savoir d'où tu viens. Mais t'entends pas quelqu'un hurler? Ça doit être M. Peece. Et ça doit vouloir dire que son délice culinaire est fin prêt. Et vu la taille du chaudron où il mijote, sûr et certain qu'il y en a assez pour trois.

M. Peece a à peine sourcillé quand il m'a vu sortir du bois avec sur les talons cet échalas de négrillon.

– Un invité? Parfait. Y a d'quoi nourrir une armée, là-d'dans, et j'aime qu'on fasse honneur à ma croustade d'fayots.

Je me suis approché du chaudron bouillant. Sûr et certain, la vieille marmite de fer de Tante Maybelle ne sentait pas aussi bon quand je l'avais extraite du hangar où Tante entassait ce qui ne lui servait plus.

– C'est une croustade de fayots? j'ai demandé en reniflant.

– D'fayots, d'lard et d'mélasse. Une recette à moi, M. Peece a expliqué.

Je me suis tourné vers l'invité.

– Assieds-toi avant de tourner de l'œil, Jabeth. J'espère que ça ne t'ennuie pas de te servir à même le plat, vu qu'on n'a que deux assiettes d'étain à nos monogrammes.

*
*　*

Après le dîner, Jabeth Ballou n'a plus fait de courbettes. Il avait le ventre plein à éclater. Il est resté allongé près du feu, à moitié dans l'ombre, en grognant de bonheur pendant quinze bonnes minutes pendant que M. Peece et moi nous nous curions les dents. Il a enfin pris la parole.

— C'était un pâté somptueux, monsieur Peece. Croustillant sur le dessus, moelleux à l'intérieur. Tous mes compliments.

— Merci, a dit M. Peece avec son plus bel accent du Sud. M'a donné bien du mal, c'pâté.

— Je m'en doute. Maman, si elle vivait, elle pourrait pas faire mieux.

Cela a éveillé mon intérêt.

— T'es orphelin comme moi, Jabeth?

— Depuis peu, il a dit. Depuis très peu. C'est pour ça que je me suis enfui.

Il a eu un petit rot et s'est doucement massé le ventre.

— J'espérais atteindre le Kansas et la liberté.

— C'est drôle, a commencé M. Peece.

— Parce que c'est là que nous allons, j'ai fini. Jusqu'au bout du Kansas. Jusqu'en Utah.

Les yeux noirs de Jabeth Ballou brillaient à la lueur du feu de bois. Il a souri. Depuis notre rencontre, c'était la deuxième fois qu'il souriait.

## QUATRE

Le matin venu, personne n'a rien dit du statut de Jabeth. Ou presque rien. On s'est juste levés avec les dindes et on s'est préparés au départ. Je dois dire que c'est Jabeth qui nous a réveillés.

— Ouh, il hurlait. Au secours! Au secours!

J'ai roulé sur le côté dans mon sac de couchage et j'ai entrouvert un œil. Jabeth était étendu sur le sol, raide comme un cadavre, et, le dominant de toute sa hauteur, un gros dindon lui picorait les cheveux avec curiosité.

— Chasse-le, Jabeth, j'ai marmonné. Il ne te veut pas de mal. C'est seulement qu'il n'avait jamais vu de cheveux comme les tiens.

— C'est quoi, ce monstre?

Je me suis appuyé sur un coude en soupirant.

— Un dindon, voyons! Un dindon bronze.

J'ai ramassé un bout de bois et je l'ai expédié sur le dindon, qui a détalé.

Jabeth s'est assis. Il a regardé autour de lui.

— Y en a tout partout! il a presque hurlé, en

recommençant à se congeler. Des dindons énormes tout partout! Dans les arbres. Sur le sol! Je suis cerné!

— J'espère bien qu'il y en a partout. Et j'espère bien qu'ils ont pas perdu de poids. Y a de ces mâles, ils pèsent près de trente livres. T'es en train de regarder ma fortune sur pattes, Jabeth. Mon avenir. Ce sont mes dindes.

Jabeth a frissonné. Ça m'a encore donné à penser.

— T'as grandi dans une ferme, t'as dit. Alors comment ça se fait que t'as jamais vu de dindes?

— Le maître élevait des cochons. Rien que des cochons. Et quelques poules pondeuses aussi. Je me suis toujours bien entendu avec les cochons. Ils vous sautent pas dessus à l'improviste comme ces bestiaux.

Finalement, je me suis décidé à rouler mon sac de couchage.

— Si tu veux prendre la roue de mon fonds de commerce, Jabeth, faudra que tu apprennes à aimer les dindes.

Il s'est péniblement extrait de la couverture que je lui avais prêtée.

— J'aime les dindes, il a dit. Je les aime toutes en bloc et en détail. J'en raffole.

Mais il a contourné d'un orteil précautionneux le dindon qui picorait près de ses pieds nus.

Après quelques heures de marche, j'ai commencé

à me demander comment Jabeth avait pu trouver le courage de seulement songer à s'enfuir. Et comment il avait pu y réussir. Ce garçon-là n'était qu'un paquet de nerfs.

Vous l'auriez vu trotter sur le flanc gauche du troupeau… Je lui avais dit de rester de ce côté-là pour observer Emmett, et pour en prendre de la graine. Mais il n'avait pas l'air d'apprendre vite. Pas du tout. Tout ce qu'il faisait, c'était de battre sans arrêt des bras comme un épouvantail. Naturellement, avec sa chemise et son pantalon en loques qui flottaient autour de ses membres squelettiques, le seul résultat, c'était d'énerver mes volailles. Je l'ai observé un bout de temps en faire voleter pour rien une bonne douzaine. Et puis j'ai ouvert le feu.

— Jabeth ?

— Oui, monsieur Simon, m'sieur ?

Au moins, il avait laissé tomber le maître. C'était déjà ça.

— Simon tout court, Jabeth. Simon tout court. Et tutoie-moi. Autant que je puisse me rendre compte, je suis pas plus vieux que toi.

— Oui, Simon, m'sieur.

Je n'ai pas insisté. Il faisait des progrès. Et ce n'était pas comme s'il avait eu tout le temps qu'avait eu Miss Rogers pour avoir mon nom sur le bout de la langue.

— On va faire quelques pas ensemble, Jabeth. On va changer de tactique pour ton entraînement de gardeur de dindes.

Ce jour-là, on est parvenus à un bois de l'autre côté de la ville de Linn. Mais ça n'a pas été grâce à Jabeth Ballou. Tout en méditant sur la situation, je surveillais mes dindes qui se nichaient dans les épaisses ramures des chênes et des hêtres. Je suis resté là un bout de temps à fourrager dans mes cheveux.

Ce garçon ne sentait pas les dindes, mais pas du tout. Il faisait de son mieux pour sympathiser avec elles mais, sûr et certain, il en était incapable. Et ça n'avait pas non plus l'air d'un talent qui lui viendrait avec le temps. Je me suis approché du chariot. M. Peece était en train de dételer les mules.

— Salut, Simon, il m'a dit.

— Salut, monsieur Peece.

J'ai tapoté la croupe d'Étincelle. Elle a reniflé et lâché un braiment joyeux. M. Peece l'a débarrassée de son harnais.

— Ton gamin ne m'paraît pas très doué avec les dindes, Simon.

— C'est sûr, j'ai dit en donnant une petite tape de plus à Étincelle. Cela me tracasse, monsieur Peece.

— Laisse-le r'partir d'son côté. S'débrouillait très bien avant d'nous rencontrer.

— Il se débrouillait pas du tout. Il était sur le point de mourir prématurément de faim.

M. Peece s'est attaqué à un autre harnais.

— T'as pas à t'sentir responsable de lui, fils.

— C'est sûr, mais je m'sens responsable quand même.

— En plus de ça, l'a un sacré appétit. Et y a juste assez d'provisions pour nous deux.

— Je ne lui chicane pas ce qu'il mange. Je voudrais juste mettre le doigt sur le talent qu'il a forcément. Miss Rogers disait toujours que chacun a sa place dans ce monde. Il suffit de la trouver.

M. Peece a conduit Étincelle à la mare tout proche de notre camp. Les dindes s'y étaient déjà largement abreuvées. Elles avaient si soif que le niveau de l'eau y avait baissé de trois bons centimètres, mais il en restait encore assez pour nous et les mules.

— Et où l'est passé, ton Jabeth?

Je me suis arraché à mes réflexions sur le niveau de l'eau pour revenir à M. Peece.

— Il m'a emprunté mon couteau dès qu'on s'est arrêtés et il est allé dans les bois.

— Alors p't-êt'bien qu'il a examiné tout seul la situation. P't-êt'bien qu'il est déjà parti d'son côté.

— Il ne nous aurait pas quittés pour de bon en emportant mon seul couteau, monsieur Peece. J'en mettrais ma tête à couper.

*
* *

Jabeth n'était pas parti pour de bon. Il est ressorti
du bois une demi-heure plus tard. Avec une offrande
expiatoire.

— Je sais que j'ai pas fait du bon travail aujourd'hui, Simon, m'sieur, il a dit en me tendant
une truite toute fraîche enfilée sur une vrille de
vigne sauvage. Mais je ferai mieux demain.

Je fixais le poisson quand j'ai entendu derrière moi
M. Peece qui accourait.

— Où t'as trouvé c'te belle truite, Jabeth?

— Dans une petite crique au fond de ce bois,
monsieur Peece, m'sieur.

— Et tu l'as attrapée comment? je me suis étonné
tout haut. Un gars qui sait pêcher comme toi ne
devrait pas être à moitié mort de faim…

— Je l'ai eue avec votre couteau, tiens. (Il a essuyé
la lame sur un coin intact de son pantalon et il me l'a
tendu.) Je l'ai attaché à un bâton et j'ai visé, voilà
tout. (Il a remis la truite à M. Peece.) Je n'avais pas
de couteau quand je me suis enfui de chez le maître.
Je n'en ai jamais eu à moi.

J'ai examiné le couteau, je l'ai glissé lentement
dans sa gaine que j'ai détachée de ma ceinture, puis
j'ai tendu le tout à Jabeth.

— Tu peux me l'emprunter encore un peu. Oublie les dindes. T'es notre nouveau ravitailleur.

— C'est vrai?

Il a cligné des yeux, puis il a esquissé quelques joyeux pas de danse sur ses pieds nus.

— Alors j'y retourne avant qu'il fasse noir! Je vais nous en rapporter quelques autres pour le petit déjeuner. On les gardera au frais dans l'eau toute la nuit.

Je me suis tourné vers M. Peece, qui s'était déjà accroupi pour vider notre prise. Il sifflait en travaillant et s'est interrompu pour me sourire.

— Rien d'mieux qu'un plat d'truites pour succéder à not'croustade d'fayots d'hier soir. J'aime cuisiner les truites.

— Alors, vous êtes d'accord pour qu'il reste?

— Tant qu'il s'rendra utile, fils. Tant qu'il s'rendra utile.

Il s'est remis à vider la truite.

— Et parlant d'ça, rends-toi donc utile en m'apportant que'ques-uns d'ces oignons sauvages qui poussent le long de la route. Une truite sautée est bien plus savoureuse encore avec une farce d'oignons sauvages.


Sûr et certain, Jabeth avait un faible pour mon couteau de chasse. Après le dîner, il a poli sa lame avec amour, puis il s'est mis à tailler une branche qu'il avait rapportée avec notre truite du petit déjeuner. Je l'observais paresseusement en pensant à la dernière fois que j'avais vu tailler un bout de bois là-bas, à Union. Devant le porche du grand bazar où cette bande de traîne-savates m'avait désigné Bidwell Peece. Mais Jabeth n'avait pas l'air de tailler seulement pour le plaisir de tailler. Il avait une idée en tête, on aurait dit.

Je l'ai observé quelques minutes de plus, en luttant contre le sommeil qui appesantissait mes paupières. Soudain, une pensée s'est imposée à moi:

— Tu fabriques quelque chose, Jabeth?

— Qu'est-ce que vous croyez? il a riposté.

— Je n'ai jamais vu personne fabriquer quelque chose comme ça.

— Vous voulez dire quoi, là?

— Je veux dire que les gens taillent un bout de bois pour faire se dérouler un long copeau d'écorce. Et plus il est long, mieux ça vaut. Puis ils jettent ce qui reste de la baguette et ils s'attaquent à une nouvelle.

— Ma maman m'a jamais appris à perdre mon temps comme ça. Si on taille, c'est pour faire quelque chose d'utile.

Je me suis redressé, en louchant dans l'obscurité.

— Et c'est ce que tu fais, là?

— Attendez une minute. Vous allez voir.

Les longs doigts fins de Jabeth maniaient ce couteau comme le meilleur outil du monde. J'observais la précision de ses gestes avec curiosité. Mon couteau de chasse n'avait encore jamais fait ce genre d'ouvrage. La lame a enfin cessé de briller à la lueur du feu de bois. J'ai jeté un coup d'œil à M. Peece pour lui demander son avis. Trop tard. Il ronflait déjà dans son sac de couchage. Soudain, un son bizarre m'a fait tourner la tête. Un genre de son obsédant.

— D'où il vient ce son, Jabeth?

Jabeth a écarté de ses lèvres le bout de bois. Le son s'est arrêté.

— De ma flûte, pardi.

Je suis resté bouche bée.

— Tu t'es fabriqué un instrument de musique en quelques minutes? Et tu sais en jouer?

Jabeth a eu un sourire bref.

— Si je trouvais une belle souche, j'y taillerais un violon. J'en joue aussi.

— Nom d'un pétard! (Je me suis mordu la langue. Puis j'ai enchaîné plus calmement:) Miss Rogers avait raison, comme toujours.

— Qui c'est, Miss Rogers?

— La dame la meilleure et la plus adorable de la terre entière, Jabeth.

— J'aimerais bien la rencontrer. Je n'ai guère rencontré de dames bonnes et aimables. À part maman.

Il a porté sa flûte à ses lèvres. Cette fois, la musique qui s'en échappait résonnait comme Miss Rogers. Gracieuse, pétillante, lumineuse, pleine de vie. Je me suis allongé dans mon sac de couchage et j'ai fermé les yeux. Je n'avais même pas à prendre la peine d'expliquer pourquoi Miss Rogers avait raison comme toujours. Elle avait simplement le don de découvrir ce qu'il y avait de meilleur dans chaque créature. Je me suis paisiblement abandonné au sommeil.

# CINQ

Je n'avais jamais vu d'aussi grande ville que Jefferson City. On m'avait dit à Union qu'elle n'arrivait pas à la cheville de Saint Louis, mais elle me paraissait fantastique. Prenez son Capitole. Entièrement fait de blocs de pierre taillée. Avec une rangée de colonnes qui courait devant sa façade. Je n'ai pas pu m'empêcher de me pétrifier devant, bouche bée comme le cul terreux que j'étais. Ça n'est pas tous les jours qu'on voit le Capitole de la capitale de notre grand État du Missouri.

Et les églises! Il y en avait à chaque coin de rue. J'en ai bien compté six ou sept, de tous les cultes qu'on peut imaginer.

Mais je n'étais pas vraiment là pour visiter la ville. Ce qui m'avait vraiment décidé à quitter notre camp, c'était une affiche clouée sur le poteau qui signalait la direction de Jefferson. C'était le dessin qui avait d'abord attiré mon attention, mais je m'étais arrêté pour déchiffrer soigneusement le texte, mot à mot:

# LE PLUS GRAND PETIT CIRQUE
## DE 1860!

## CE SOIR
## À JEFFERSON CITY

On voyait sur le dessin une étrange créature avec une grosse bosse qui lui boursouflait le dos comme si elle en faisait partie. Cette créature était flanquée d'un côté d'un lion et de l'autre d'un tigre. Je connaissais les lions et les tigres pour en avoir vu dans un livre d'images que Miss Rogers gardait dans sa classe pour sa causerie annuelle sur la sombre et profonde Afrique et l'exotique Asie. J'avais entendu huit fois cette causerie pendant mes années d'école, mais je n'avais jamais pensé voir des lions en chair et en os. Et il y en avait ici. Comme un présent de Dieu. Il n'y avait pas moyen de refuser un tel présent. J'ai couru de l'affiche à Bidwell Peece qui frictionnait les mules.

— Faut que j'aille ce soir à Jefferson City, monsieur Peece.

Sa main a suspendu sa caresse apaisante.

— Croyais qu'on allait démarrer d'bonne heure d'main matin pour reprendre la route de l'Ouest. Et vu que toutes les routes du Missouri tournicotent autour d'Jefferson City, croyais qu'on allait éviter d'énerver les volailles en leur faisant traverser une vraie grande ville.

— J'emmène pas les dindes, monsieur Peece! Je ne tiens pas plus que vous à les énerver. Mais j'ai besoin d'aller à Jefferson. J'en ai vraiment besoin.

Sa main s'est posée un peu plus bas sur le flanc de Brunet et il a recommencé à le brosser, mais avec moins de concentration.

— J't'accompagnerai. Pour t'éviter des ennuis.

— Quels ennuis?

Le seul que je voyais, c'était d'amener M. Peece à proximité d'un saloon. Or il devait y en avoir des tas dans une authentique capitale. Oncle Lucas disait toujours qu'on ne légiférait pas avec du jus de pomme.

— Quoi qu'il en soit, j'crois qu'il vaudrait mieux que j'vienne avec toi, Simon.

— Vous allez où?

Jabeth était enfin rentré de sa chasse dans les bois. Cette fois, il ramenait un chapelet d'écureuils sur son épaule. Il les a offerts à M. Peece.

— Les écureuils étaient tous idiots, aujourd'hui. Ils restaient bien tranquilles à bavasser dans les arbres pendant que je les transperçais de mon couteau. J'espère que vous savez faire un ragoût d'écureuils, monsieur Bidwell, m'sieur.

Cela a distrait un moment mon muletier. Son regard s'est illuminé.

— Un ragoût à la Brunswick, Jabeth. Mijoté avec

un peu d'ce maïs que nous transportons pour les volailles. T'as jamais mordu dans que'que chose d'plus succulent.

— Parfait, j'ai dit en m'éloignant lentement. Gardez-m'en une portion pour mon retour.

— Votre retour d'où? a redemandé Jabeth qui ne se décidait toujours pas à me tutoyer. Vous allez en ville, Simon, m'sieur? Oh, s'il vous plaît, emmenez-moi! Je n'ai jamais, jamais vu de capitale.

Cela ne me plaisait guère de lui mettre les points sur les i, mais il le fallait bien.

— Tu crois que c'est la chose la plus futée à faire, s'il y a vraiment une prime pour qui te livrera, Jabeth Ballou?

Il a baissé la tête. Je me suis retourné vers M. Peece. Je peux vous dire que les saloons avaient repris le pas dans son esprit sur le ragoût à la Brunswick. Je l'ai lu dans son regard. J'ai tout de suite écarté cette tentation.

— Chacun de vous devra veiller sur l'autre, les mules et les dindes. Je compte sur vous, vous entendez. D'ailleurs, je serai vite de retour. Peut-être juste après la tombée de la nuit.

Le cirque s'était installé dans un champ près du fleuve. Il était tout de suite derrière une rangée de maisons de brique et de pierre taillée qui s'emboîtaient quasiment l'une dans l'autre avec, courant à chaque étage sur leurs façades, de grands balcons où on pouvait se tenir pour admirer le Missouri. Je suis tombé sous le charme, moi aussi. Il y avait une ou deux de ces barges plates du bon vieux temps, mais surtout des bateaux à vapeur amarrés aux docks. Sûr et certain, j'aurais aimé voir tourner leurs roues à aubes, mais aucune cheminée ne crachait de fumée, si bien que je me suis dirigé vers le chapiteau.

L'heure du spectacle devait approcher, vu qu'on faisait déjà la queue au guichet. Il y avait des tas de gamins qui sautillaient d'excitation et bon nombre d'adultes qui me paraissaient tout aussi excités. Je ne me suis pourtant pas acheté de billet, parce que je n'avais sur moi que l'argent de Miss Rogers destiné à parer aux cas d'urgence. Je n'avais encore tapé dedans que pour le droit de passage sur le bac. Je me suis dit que je trouverais peut-être un petit trou dans la gigantesque toile de tente et que je verrais ce que je pourrais à travers.

Sauf qu'il se passait plein de choses sur le chemin du cirque. Il y avait un stand de tir, et des hommes tiraient sur des cibles. Je me suis approché et j'ai déchiffré l'affichette placardée dessus. Elle disait qu'on pouvait tenter sa chance pour cinq cents et gagner un prix. Il y avait aussi toute une étagère de ces prix. Je les ai examinés, au milieu des coups de feu. Des porcelaines! Rien que de la camelote de petits chiens en porcelaine, de chatons et tutti quanti. J'ai reniflé de mépris. Cela ne valait pas le coup de dépenser cinq cents pour un prix comme ça.

Un peu plus loin, il y avait une table pliante autour de laquelle il se passait quelque chose de plus intéressant. Un type en gilet brodé ultra-chic, ses manches de chemise resserrées par des jarretelles, faisait un boniment sur le moyen de s'enrichir vite fait quand on avait le coup d'œil. Tout en parlant, il jouait avec trois drôles de trucs. On aurait dit des balles de fourrure brune coupées en deux. Comme je trouvais ça curieux, je me suis propulsé au premier rang des badauds pour mieux voir.

— Mes noix de coco, le type était en train de psalmodier, mes noix de coco vont plus vite que le regard, mais elles ne mentent pas.

Il a soulevé l'un de ces trucs qu'il appelait noix de coco. C'était creux à l'intérieur, et en dessous il y avait un dollar d'argent, tout brillant s'il vous plaît. Il l'a vivement recouvert de sa demi-coque. Il les a fait virevolter. Puis il en a soulevé une. Le dollar était en plein dessous.

— Vingt-cinq cents, messieurs. Pariez vingt-cinq cents. Et gagnez un dollar. Le jeu est simple comme bonjour. Il suffit de suivre la danse. Mes noix de coco ne mentent pas.

Le gros homme à côté de moi a posé vingt-cinq

cents sur la table. Les noix de coco se sont remises à virevolter. Quand elles se sont arrêtées, il en a désigné une. Le bonimenteur l'a soulevée. Aussi vrai que je suis moi, ce sacré dollar était dessous. Le gros homme a raflé du même geste le dollar et ses vingt-cinq cents, et il s'est éloigné, l'air très content de lui.

— Vous avez vu comme c'est simple? a redit le type en gilet brodé.

Il a tiré d'une de ses poches de gilet un autre dollar d'argent, aussi brillant que le premier, et l'a fait claquer sur la table.

— À qui le tour, messieurs? Une petite pièce de vingt-cinq cents. Votre premier pas vers la fortune.

Pendant tout ce temps-là mes doigts serraient dans ma poche l'argent de dépannage de Miss Rogers. Si je risquais vingt-cinq cents, sûr et certain que j'en récolterais beaucoup plus.

J'ai calculé un petit moment avant de trouver à combien se monterait exactement ce «beaucoup plus». Finalement j'y suis arrivé. Quatre fois plus! Sans compter que je récupérerais mes vingt-cinq cents. Comme ça, je pourrais me payer un billet de cirque pour assister au spectacle et m'instruire en voyant des lions et des tigres en chair et en os. Et il y avait aussi cette créature à bosse qui m'intéressait énormément. L'un dans l'autre, ça me paraissait un investissement dont Miss Rogers serait fière.

J'ai sorti vingt-cinq cents de ma poche et je les ai plaqués sur la table. Le type en gilet a souri de toutes ses dents.

— Voilà un jeune homme qui connaît la valeur d'un placement! Un jeune homme qui n'a pas les deux pieds dans le même sabot!

Il y avait bien longtemps que personne n'avait parlé de moi en des termes si élogieux. Aussi je crois bien que j'ai rougi.

Le bonhomme a soulevé les trois coques pour que je puisse clairement voir que deux ne recouvraient rien et que le dollar d'argent brillait sous la troisième.

— Suivez le dollar, jeune homme! Suivez le dollar!

Et il s'est mis à faire virevolter les coques à toute allure. J'avais le regard rivé sur celle qui cachait le dollar. Littéralement rivé. Il s'est enfin arrêté. J'ai relevé les yeux, un peu étourdi.

— Alors? Jeune homme?

J'ai rebaissé les yeux. Je savais exactement laquelle de ces noix de coco couvait mon dollar d'argent.

Je l'ai désignée. Il a soulevé la coque. J'ai regardé.

— Il n'est pas là!

Mon argent non plus. Le bonhomme les avait prestement escamotés.

— Il faut être plus attentif, jeune homme. Essayez encore un coup.

Bon, je savais que cette fois-ci je gagnerais. J'ai puisé une autre pièce. J'ai encore eu le tournis, mais je n'ai pas quitté un instant des yeux la noix de coco dissimulant l'argent qui m'était dû. Je l'ai désignée.

Cette fois encore, la coque était vide.

J'ai levé la tête vers ses yeux pétillants de malice. On aurait dit ceux d'un renard. Je n'avais jamais passé pour coléreux, mais, brusquement, j'ai vu rouge. Je venais tout juste de perdre la valeur de deux dindes. Et ça ne m'aidait guère de constater que les badauds qui nous entouraient se tordaient de rire.

— Vous m'avez roulé !

Je me suis penché par-dessus la petite table vers l'homme au somptueux gilet. Quand mes grosses pattes l'ont empoigné par les épaules, son teint a viré à un vert marbré de rouge, on ne peut mieux assorti aux broderies de ce gilet. Je l'ai secoué.

— Vous m'avez roulé et je ne veux pas qu'on me roule !

— C'est un jeu de hasard..., il a commencé.

Du coup, je l'ai secoué plus fort, et il s'est tu. Puis il a eu l'air de rassembler toutes ses forces pour rugir un nom :

— Sam-son !

Les bras les plus puissants que j'aie jamais rencontrés tentaient de me détacher de l'homme aux noix de coco. Je l'ai laissé retomber comme une poupée de son pour me retourner et les agripper à mon tour. La foule a fait cercle autour de nous, dans l'attente d'une bonne vieille bagarre. Et elle aurait eu lieu, la bagarre, si je n'avais pas levé les yeux. Au-dessus d'une poitrine et de deux épaules en tout point aussi larges et musclées que les miennes. Jusqu'à un visage qui me dominait de près d'une tête. En plein dans une paire d'yeux aussi écartés et verts que les miens.

J'ai perdu tout instinct combatif. C'est mon image que je voyais. Ma propre image. Comme quand je jetais un coup d'œil en douce sur le miroir de Tante Maybelle accroché dans le salon de la ferme. Sauf qu'il y avait une petite différence. Je me voyais plus vieux. Et lui aussi, il devait s'être vu plus jeune, attendu qu'il a relâché sa prise comme je l'avais fait. On se tenait l'un en face de l'autre, bras ballants. On se tenait immobiles et on se regardait.

— Qu'est-ce qui te prend, Samson? l'homme au gilet a crié.

Il s'est rapproché. Prudemment.

— Ce pouilleux a failli me tuer!

Samson l'a écarté comme on chasse un moustique.

— Silence, Cleaver! Entôle qui tu voudras avec tes noix de coco. Mais pas, je ne peux pas me tromper, pas mon fils unique!

J'ai avalé ma salive. Il m'avait fallu comme toujours un bout de temps, pour aboutir à une conclusion. Mais combien pouvait-il y avoir de Samson dans le Missouri? Combien qui seraient mon portrait tout craché?

— Papa? (C'est sorti comme un couinement. Je me suis éclairci la gorge.) Vous... T'es mon papa, Samson Green, qui a disparu depuis ces dix longues années?

Il m'a entouré de ses énormes bras qui m'ont à demi broyé en une étreinte d'ours. Je me suis dégonflé comme un ballon crevé.

— Simon! il a dit.

Puis il a répété «Simon» et il m'a laissé retomber. Il m'a fallu une bonne minute pour remettre mes poumons en état de marche en les actionnant comme un soufflet de forge. Quand j'ai eu récupéré mon souffle, j'ai fixé mon père droit dans les yeux.

— Si t'es si heureux de me revoir, pourquoi t'es jamais revenu à la ferme? Pourquoi tu t'es jamais intéressé à moi depuis que Maman est montée au ciel?

# SIX

Il ne m'a pas répondu sur-le-champ. Au lieu de ça, il m'a empoigné par le biceps.

— Plus tard. Nous approfondirons plus tard la question. Il faut que je me prépare pour la représentation.

Il m'a propulsé à travers l'ouverture de la tente, en plein sous le nez de la foule qui se bousculait pour entrer. En plein sous le nez du contrôleur qui tendait la main pour ramasser les tickets. Sous la tente, il m'a catapulté sur une chaise du premier rang.

— Reste là. Il faut que j'aille enfiler mon costume.

— Quel costume?

— Tu verras. Ne bouge pas d'un pouce. Compris?

Et puis il a disparu.

J'ai étendu mes jambes d'un pouce. Puis d'une main entière. Juste pour voir. Le toit de la tente ne m'est pas tombé sur la tête. Il ne s'est rien passé du tout. Excepté que les rangées de gradins derrière moi ont commencé à se garnir. Je me suis installé le plus confortablement que j'ai pu pour attendre.

Au bout de très peu de temps, un homme moustachu en haut-de-forme noir et redingote rouge s'est avancé au centre de la piste. Trois musiciens parqués un peu à l'écart ont attaqué un petit air de musique. Le cirque commençait.

J'ai presque oublié pendant toute l'heure suivante que j'avais retrouvé mon père perdu depuis si longtemps, tellement j'étais fasciné par le spectacle. Il a débuté avec l'apparition d'une jolie dame suspendue à une espèce de petite balançoire juste sous le toit du chapiteau. Elle a fait toute sorte de tours étonnants au rythme de la musique. Mais c'était plutôt dur de se concentrer sur ces tours, vu qu'elle ne portait presque rien sur elle. Je le jure. Les yeux me sortaient presque de la tête à la vue de ses jambes délicates gainées de bas jaunes arachnéens. Le reste de son corps était moulé dans quelque chose de brillant et de vaporeux – très peu de chose, en fait. Et je peux vous dire que le public avait les yeux aussi exorbités que moi.

Après ça, deux petits bonshommes ridicules aux gros nez rouges vêtus de guenilles ont fait leur entrée. Ils ont, eux aussi, exécuté toute sorte de tours sur la balançoire, mais on l'avait abaissée presque au ras de la piste et ils n'arrêtaient pas de dégringoler par terre. Ça faisait hurler de rire le public. Ensuite il y a eu un numéro de chien savant qui m'a fait penser à Emmett et à la façon dont M. Peece et Jabeth se débrouillaient au camp sans moi.

Ces gens du cirque ont batifolé comme ça un bout de temps, mais ils ont fini par amener les lions et les tigres. Sauf qu'il n'y en avait qu'un de chaque espèce. Ils les ont poussés dans une petite cage qu'on avait construite au centre de la piste, et puis ils les ont fait sauter à travers des cerceaux. Les deux félins n'avaient pas trop le cœur à l'ouvrage. Et, à mon idée, ils étaient un peu trop vieux pour s'y mettre vraiment.

Je suppose que les créatures à bosse étaient les éléments les plus intéressants du spectacle. Il y en avait trois. On aurait dit une famille : un papa, une maman et leur petit. Ils ont fait fièrement le tour de la piste pendant que l'homme en redingote rouge expliquait qu'on les appelait chameaux et qu'ils venaient du lointain pays d'Égypte au-delà des mers, la terre des anciens Pharaons, des Pyramides et du Nil. Il a dit que c'étaient des animaux remarquables, vu qu'ils pouvaient cheminer des jours et des jours à travers le désert aride en portant de lourdes charges sans boire une seule gorgée d'eau.

J'ai médité là-dessus pendant qu'ils continuaient leur parade. Cela me paraissait un talent bien utile pour une créature qui avait à se déplacer à travers des lieux où, de toute façon, on ne trouvait de l'eau nulle part. Ensuite, pour nous montrer comme ils étaient forts, un employé du cirque a forcé le papa chameau à s'asseoir. Le chameau a protesté très bruyamment, mais il a plié les jambes et il s'est assis. On lui a empilé des ballots sur le dos et les rigolos au nez rouge ont grimpé dessus. Puis ils ont forcé le chameau à se relever. Il a encore grogné, il a vacillé sur ses jambes, mais il a trotté tout autour de la piste avant qu'on le fasse sortir pour qu'il puisse se reposer. Et c'est alors que P'pa a fait son entrée.

— Mesdames et messieurs, a annoncé l'homme à la redingote, j'ai maintenant l'honneur de vous présenter un homme qui va vous stupéfier et vous ravir, un homme aussi fort que le plus fort des chameaux. Je dirais même un homme plus fort que lui.

Un des musiciens a soufflé dans son cor de chasse. L'homme à la redingote a soulevé son haut-de-forme et l'a agité :

— Samson ! l'Homme le Plus Fort du Monde !

P'pa s'est avancé. Il était encore moins vêtu que la jolie dame, mais ça ne faisait pas le même effet. Ses jambes et sa poitrine nues luisaient de graisse. Il en avait même mis plein sur son épaisse tignasse couleur paille qu'il avait plaquée sur son crâne. Il a salué, puis il s'est avancé jusqu'au milieu de la piste où on avait traîné sur le sable toute une série de poids qui semblaient peser lourd.

Alors P'pa a entrepris de soulever tous ces poids qui pendaient à des barres étiquetées de cinquante à trois cents livres. Il a commencé par celui de cinquante livres qu'il a hissé à bout de bras comme une plume. Puis il est passé à celui de cent livres. Pour celui-là, il a dû ployer légèrement les genoux et faire un peu jouer ses muscles impressionnants. Ensuite, il est allé vers le poids de cent cinquante livres. Les choses ont commencé à devenir vraiment intéressantes quand il s'est attaqué à celui de deux cents livres. P'pa a poussé deux ou trois grognements et fait quelques grimaces, mais il a réussi.

Le public est devenu frénétique quand P'pa a empoigné la barre des trois cents livres. Personne ne croyait qu'il parviendrait à la soulever. Mais moi, je savais qu'il le pourrait, vu que j'avais moi-même soulevé plus lourd que ça. Pendant la saison des pluies, à la ferme, c'est toujours moi qu'Oncle Lucas et les cousins venaient chercher quand ils avaient enlisé un chariot dans la boue. P'pa leur a quand même fait une belle démonstration, et j'ai applaudi comme tout le monde.

Après lui, quelques chevaux coiffés d'un plumet – l'homme à la redingote les a appelés pur-sang arabes – ont caracolé sur la piste avec quelques autres dames à moitié nues sur le dos. Et ç'a été la fin du spectacle. Je suis resté à ma place pendant que la foule s'écoulait, et j'ai attendu P'pa.

*<br>* *

— Simon?

Tout mon corps s'est tendu comme un ressort. J'ai entrouvert les yeux, je me suis frotté les paupières. Faut dire que ç'avait été une longue journée plutôt riche en événements.

— P'pa? Tu as fini?

Ça devait être le cas, parce qu'il avait remis ses vêtements de tous les jours et essuyé presque toute la graisse dont il s'était enduit. Excepté qu'il en restait encore plein sur ses cheveux toujours plaqués en arrière. Ça les faisait paraître plus foncés.

— Pour ce soir, oui. Allons bavarder ailleurs.

— Où?

— Dans ma cabine à bord du bateau à vapeur.

— Tu voyages en bateau à vapeur?

— Comme tout le cirque. On remonte et on redescend le Missouri. Et aussi le Mississippi.

Il sortait déjà de la tente à grands pas, si bien que j'ai dû lui courir après.

La seule chose qu'il ait faite pendant que nous longions le fleuve, ç'a été de me fourrer quelque chose dans la main. J'ai scruté ce quelque chose du regard, dans le noir.

— C'est quoi, ça?

— Les cinquante cents que tu as perdus contre

Cleaver. Il me les a rendus. Tu as besoin qu'on te prenne sérieusement en main si tu es assez bêta pour te faire avoir par une aussi vieille filouterie, Simon.

— Une filouterie? Tu veux dire ces noix de coco? Mais le gros type avant moi, il a embarqué le dollar aussi facilement que...

P'pa m'a poussé sur une planche d'embarquement.

— Monte à bord. Ce gros type, c'était Joe Sellars.

— Comment tu connais son nom? j'ai demandé en trébuchant un peu sur la pente inhabituelle de la planche. Comment sais-tu que...

— Il travaille au cirque, Simon. Ce n'est qu'un appeau.

Je me suis arrêté, les pieds bien à plat sur le pont.

— Un appeau? Comme quand on va à la chasse? Pour tromper les canards? Mais faire pareil aux gens... Ça, c'est pas honnête, P'pa!

P'pa a souri jusqu'aux oreilles dans le noir.

— Bienvenue dans le monde réel, Simon. Les malins gardent leurs biens, les jobards se font avoir. Où donc as-tu passé toute ta vie? Non, ne me le dis pas encore. Attends que nous soyons dans ma cabine.

La cabine était un peu petite pour nous deux, mais j'ai réussi à me caser au pied de la couchette. P'pa a pris la seule chaise et occupé tout ce qui restait de place. Et puis nous avons commencé à parler.

— À propos de ta maman, fils, je veux que tu saches que j'ai été ravagé de chagrin quand elle est morte. Totalement ravagé. (Il a sorti de sa poche un immense mouchoir et l'a porté à ses yeux, puis il s'est mouché dedans. Bruyamment.) Je me suis enfui en proie au plus noir des chagrins, sachant bien que je n'aimerais jamais une autre femme. Et...

Quelqu'un a frappé à la porte de la cabine. Qui s'est ouverte toute grande avant qu'on ait pu dire un mot.

— Samson chéri?

La tête de la jolie dame à moitié nue de la balançoire s'est glissée dans l'embrasure.

— T'es prêt pour m'emmener souper dehors comme t'avais promis?

P'pa a avalé sa salive.

— Lila, il s'est passé quelque chose qui...

Elle est entrée un peu plus, en faisant la moue.

— Tu trouves que c'est une façon de traiter ta...

Soudain elle m'a aperçu:

— Bon sang de bois! C'est quoi, ça?

J'ai rougi de la tête aux pieds. D'abord, c'était la dame de la balançoire. D'accord, elle était un peu plus habillée. Elle portait une jupe. Mais son buste était encore pratiquement... J'ai avalé ma salive, moi aussi. Et pour couronner le tout, elle avait employé un juron que je n'avais jamais entendu franchir les lèvres d'une dame. Sûr et certain que Miss Rogers en aurait été scandalisée, de ses cheveux d'or bien tirés jusqu'à ses chevilles bien couvertes!

P'pa s'est levé. Il s'est majestueusement approché d'elle.

— Attention, Lila. Ce garçon est le premier et le seul fils de mes œuvres.

— Le premier et le seul? elle a gloussé.

P'pa l'a vigoureusement propulsée de l'autre côté de la porte.

— Plus tard, Lila. Va t'entraîner sur ton trapèze ou ce que tu voudras.

P'pa aimait sûrement dire «plus tard». Il s'est affalé de nouveau sur la chaise.

— Bon. Assez de préliminaires. Dis-moi ce qui t'amène à Jefferson City.

J'ai donc dû lui raconter toute l'histoire. Que j'avais eu mon diplôme, que j'avais quitté la ferme et que je m'étais lancé dans les affaires avec mes dindes. Tout, quoi.

Quand j'ai eu fini, P'pa a fourragé dans ses cheveux. Un peu plus, je l'imitais. Parce que je savais que ce n'était pas un tic, mais une façon de réfléchir qui nous était commune, apparemment.

— Tu dis que tu as payé ces mille dindes vingt-cinq cents la tête?

— Ben oui.

Il avait l'air de vouloir en revenir à mes volailles.

— Et qu'elles valent cinq dollars pièce à Denver?

— Parole d'Évangile.

Il a fourragé un peu plus dans ses cheveux.

— Tu n'es peut-être pas aussi bêta que tu en as l'air, Simon. Au moins en ce qui concerne les choses importantes.

— C'est très aimable à toi de le penser, P'pa, mais...

— Néanmoins..., il a coupé. Néanmoins les dangers abondent entre Jefferson City et Denver. Tu n'es même pas encore à mi-route, Simon. Tu n'as pas encore affronté la Prairie désolée, ni les monts escarpés, ni les féroces Indiens. Il te faudrait peut-être un peu d'aide pour mener ton troupeau à bon port.

— Je me débrouille très bien, P'pa. J'ai déjà deux assistants de premier ordre. Il ne m'en faut pas plus.

P'pa s'est levé en repoussant sa chaise d'un coup de pied.

— La place d'un père est aux côtés de son fils, Simon. Pour l'assister dans les épreuves et les tribulations de la vie. Je crois vraiment que je dois t'accompagner pour t'apporter mon soutien dans ta petite entreprise.

J'ai scruté le visage de P'pa. Ce n'était pas que je me méfiais vraiment de lui. Il m'avait protégé contre l'homme aux noix de coco. Il m'avait rendu mes cinquante cents. Les cinquante cents de Miss Rogers. Il m'avait mis en garde contre certains gars du cirque et leurs curieuses manières. Et pourtant…

— Comment ça se fait que tu te fasses tout d'un coup tant de soucis pour mon affaire et moi, P'pa? Vu qu'aujourd'hui, c'est la première fois que tu jettes les yeux sur moi depuis…

— Dix ans, il a dit d'un ton lugubre. (Il a ressorti son mouchoir, il y a plongé son nez et il a soufflé dedans encore plus bruyamment que la première fois. Ce nez ne ressemblait pas au mien. Il avait une grosse bosse à la racine et puis il s'épatait un peu de traviole. Il avait dû rencontrer plus d'un poing dans sa vie.) Dix longues années! Serai-je jamais pardonné pour ce que la douleur et le deuil ont fait de moi? Serai-je jamais pardonné pour avoir abandonné la chair de ma chair à l'âge le plus tendre? (Il a littéralement fondu sur moi.) Je m'en remets à toi, Simon. Pardonne-moi, je t'en supplie.

Il me donnait encore plus le tournis que l'homme aux noix de coco. Je ne savais que dire ni que faire. J'avais besoin vite fait d'un bon conseil, mais Miss Rogers était hors d'atteinte. Ça ne me laissait que Bidwell Peece et Jabeth. Je me suis redressé d'un coup de reins.

— Il est temps que je retourne au camp, P'pa. Ç'a été drôlement chouette de tomber sur toi comme ça.

Son énorme corps bloquait la porte.

— Quoi? Tu me fuirais, fils? Juste au moment où nous nous retrouvons?

Je me suis figé quand il a dit «fils». C'était bizarre: le mot ne résonnait pas du tout comme quand M. Peece m'appelait comme ça – même si j'étais sûr et certain de n'avoir aucun lien de parenté avec mon conducteur de mules. J'ai revu un bref instant le visage de Peece. Bien sûr, ç'avait été un alcoolique invétéré. Bien sûr, le démon de la boisson le tentait toujours. Mais, dans cette image que je voyais, ses yeux étaient bleus et francs. Et j'y lisais une réelle affection. J'ai secoué la tête pour m'éclaircir les idées.

— Je suis pas sûr d'être vraiment ton fils, P'pa. J'suis pas sûr qu'un homme puisse appeler comme ça un garçon quand ils ne se sont jamais démenés ensemble dans le turbin ou dans quoi que ce soit.

— Mais c'est ce que j'essaie de faire! P'pa a protesté.

— Je suis pas sûr non plus que t'essaies pas plutôt de grimper dans le train en marche. (J'ai réussi à l'écarter juste ce qu'il fallait pour attraper la poignée de la porte.) Et je ne suis même pas sûr du tout d'avoir un père. Faut que j'y réfléchisse.

— Mais l'aide que je te propose…

J'ai entrouvert la porte.

— Tu seras le bienvenu au camp demain matin,

P'pa. Juste de l'autre côté de Jefferson City, sur la route qui vient de Saint Louis. En te grouillant un peu, tu peux encore emmener souper Miss Lila. Il me semble qu'elle en a bien besoin.

Jabeth dormait bien au chaud dans son sac de couchage quand je suis rentré au camp. Emmett s'était pelotonné contre lui et il dormait aussi. Mais M. Peece était debout. Il avait dû faire les cent pas en m'attendant, à voir comme il a pratiquement bondi sur moi dès qu'il m'a aperçu à la lueur du feu de camp.

— Simon! Ça va, fils? Qu'est-ce qui s'est passé?

Je me suis assis devant le feu pendant qu'il me servait une grande assiettée de son ragoût à la Brunswick. Puis j'ai fourragé dans mes cheveux.

— C'est drôle, monsieur Peece, mais vous aviez fichtrement raison de dire que j'aurais des ennuis à Jefferson City.

Sa louche s'est immobilisée, à mi-chemin de mon assiette, mais il l'a finalement remplie à ras bord et me l'a tendue.

— Raconte-moi, Simon. Tout. Depuis le début.

## Sept

Dieu merci, mes dindes ont décidé toutes seules de ne pas faire la grasse matinée. Le jour se levait à peine qu'elles étaient descendues de leurs nids et gloussaient à qui mieux mieux pour prendre la route.

Je me suis péniblement arraché au sommeil, tout abruti d'avoir trop peu dormi. Je me suis frotté les joues et j'ai été surpris de les trouver râpeuses. Mais ce n'était pas le moment de méditer là-dessus. Au lieu de ça, j'ai laissé retomber mes mains et j'ai plissé les yeux pour percer le brouillard qui était tombé sur nous. Puis j'ai donné une bourrade à Jabeth.

– Ouille…

Sa tête a jailli du sac de couchage. Perché sur son ventre, Emmett dressait déjà ses petites oreilles pointues.

– On s'en va, les enfants.

– Mais je ne sens pas le café !

– Y en aura pas ce matin. Ni de petit déjeuner, à part le ragoût froid. Faut qu'on se grouille de prendre la route, nous et les dindes.

Jabeth a paru d'un coup aussi réveillé que si je lui avais jeté un seau d'eau à la figure.

— Des chasseurs d'esclaves! Vous avez rencontré des chasseurs d'esclaves à Jefferson City, Simon, m'sieur?

— Pire, peut-être. M. Peece croit que nous pourrions avoir des voleurs de dindes à nos trousses.

Là-dessus, M. Peece est sorti du bois, où il avait fait ses ablutions matinales. Il était en train de refermer son rasoir. Son visage était lisse et rose.

— Raconté ton histoire à Jabeth, Simon?

— Je lui ai dit l'essentiel.

— Très bien. On rassemble les dindes et on y va.

La nuit dernière, Bidwell Peece avait écouté religieusement, chapitre après chapitre, mon récit. Il n'avait pas pipé mot quand je lui avais décrit comment je m'étais fait rouler. J'ai trouvé que c'était particulièrement généreux de sa part, vu que plus j'y pensais, plus je me sentais idiot. J'ai fini par en venir au chapitre de P'pa et à son intérêt soudain pour la paternité et les dindes.

M. Peece s'est tapoté le menton.

— Ça t'dérangera pas que j'te donne mon avis, fils? Vu qu'j'ai débarqué dans c'monde un bon moment avant toi? Et vu aussi qu'j'ai pas toujours été un ivrogne?

— Je n'ai jamais pensé que vous en étiez un, monsieur Peece.

— J'te remercie, Simon.

Il s'est emparé de mon assiette, qu'il a encore remplie.

— À la belle époque d'la piste d'Santa Fe, tu vas pas y croire, mais j'avais mon propre convoi d'mules. Plus d'vingt chariots. J'faisais deux fois par an l'voyage depuis Independence. Et puis, p'tit à p'tit, j'ai passé d'plus en plus d'temps au terminus de Santa Fe.

— Pourquoi, monsieur Peece?

Il a caressé ses favoris.

— Avais une p'tite amie, là-bas. La plus jolie des p'tites Mexicaines. L'ai épousée, et tout l'reste, quoi.

Il a poussé un gros soupir.

— J'étais un homme heureux, Simon.

Et moi, j'étais en train de me passionner pour son histoire.

— Vous aviez des enfants?

— Deux garçons et une fille. Ils étaient mignons, si tu savais. Tout le temps à papoter en américain et en espagnol. Et si tu les avais vus m'sauter au cou quand j'redescendais des collines de Santa Fe!

Je sentais que cette histoire ne finirait pas bien, mais j'avais besoin d'apprendre la suite.

— Et alors?

Il a jeté quelques branches sur le feu.

— Et alors, en rentrant d'un voyage, j'les ai trouvés morts. Tous. Du choléra. Tous, Simon. C'est de c'moment-là que j'me suis adonné à la bouteille.

— Au moins, vous, vous ne les aviez pas abandonnés, M. Peece, j'ai soupiré.

— Les quittais que pour le boulot, Simon. N'aurais jamais abandonné ma p'tite famille. Et c'est à ça que j'réfléchissais, fils. Ton père...

Il s'est arrêté net.

— Pas besoin de tourner autour du pot, monsieur Peece.

— Eh ben, ton père m'a pas l'air d'avoir eu l'cœur vraiment brisé comme moi.

— Ouais... Ça m'a traversé l'esprit à moi aussi.

M. Peece a caressé le toupet de cheveux gris qui surmontait son crâne.

— Donc, si t'es d'accord avec moi jusqu'ici, on peut p't-êt'faire un pas d'plus.

— Quel pas, monsieur Peece?

— Eh ben, si ton père n'a pas eu l'cœur brisé de t'perdre, Simon, faut p't-être que tu t'demandes c'qui a pu motiver son soudain intérêt pour toi.

J'ai réfléchi une petite minute.

— Les dindes?

M. Peece a secoué tristement la tête.

— Pas les dindes, Simon. Les dollars. Cinq mille dollars au terminus Denver.

— Oh!

J'ai médité un moment là-dessus.

— Mais s'il a vraiment besoin d'un peu d'argent, je ne le lui chicanerai pas et...

— Ton père me semble pas du genre à s'contenter d'peu, Simon. J'veux pas médire d'un homme qu'j'ai jamais vu, mais il m'paraît du genre à vouloir tout.

— Oh!

J'ai réfléchi encore un peu.

— Vous voulez dire votre part, et la mienne, et celle de Miss Rogers et même celle de Jabeth si Jabeth nous donne un coup de main jusqu'au bout?

— C'est 'xactement c'que j'veux dire, Simon.

J'ai reposé ma seconde portion de ragoût. Je n'avais plus faim du tout.

— C'est dur de retrouver son père et de le re-perdre le même jour, monsieur Peece.

— T'as toute ma sympathie, fils. Sais exactement où ça t'fait mal.

— On va faire quoi, maintenant?

— On va s'lever tôt d'main matin et voir c'qui se passe. On va lui donner une seconde chance. S'il nous court pas après, p't-êt'bien, j'dis «p't-êt'bien», que j'me trompe sur toute la ligne.

Je me suis senti tout ragaillardi.

— Ça sera un bon test, pas vrai, monsieur Peece?

— Infaillible, fils, a dit M. Peece en achevant de recharger le feu pour la nuit.

*
\*  \*

Mais P'pa nous a couru après. Et il n'était pas tout seul.

Nous avions mené nos dindes bon train sur la nouvelle route de l'ouest qui partait de Jefferson City, en nous débrouillant pour les garder bien groupées sur le pont couvert qui franchissait l'Upper Moreau Creek. Une fois parvenus de l'autre côté, nous prenions tous un peu de repos, comme on hérisse ses plumes avant de redémarrer, quand c'est arrivé.

Emmett a été le premier à entendre les sabots des chevaux résonner sur les traverses du pont de bois, et il s'est mis à aboyer frénétiquement. C'était extraordinaire de sa part. Il ne prêtait aucune attention au défilé de chariots que nous avions croisés sur la route. Il se concentrait sur son ouvrage et il aboyait très rarement après les dindes, sauf pour les empêcher de se faire écraser. Mais là, il était carrément sorti de ses gonds.

M. Peece et moi, on a sauté sur nos pieds. Jabeth aussi. Il s'était pratiquement collé à nous toute la journée en prévision des ennuis auxquels nous nous attendions à moitié. C'est bizarre, mais le temps lui-même semblait les anticiper. Le brouillard du matin s'était un peu levé, sans se dissiper complètement. Le ciel était gris et lourd, moucheté de nuages bas qui se rassemblaient çà et là, et stagnaient au-dessus de l'eau. En nous retournant vers le pont pour les observer, nous avons vu ces deux cavaliers qui semblaient jaillir du tunnel comme d'une bouche d'ombre, émergeant du pan de brouillard qui l'enveloppait, puis freinant des quatre fers à même pas dix mètres de notre aire de repos.

Je me suis tourné vers M. Peece. Il examinait les chevaux. C'était sa partie, et je le comprenais : M. Peece s'y connaissait en chevaux et ceux-là étaient deux bêtes de race, deux pur-sang frémissants, hennissants, ruisselants d'écume. Ils valaient le coup d'œil. Je les ai tout de suite reconnus. Je les avais vus la nuit dernière piaffer et parader sur la piste du cirque. Mais je m'intéressais nettement plus aux cavaliers.

— Bonjour P'pa. Monsieur Cleaver, n'est-ce pas ? j'ai dit en hochant la tête vers le second cavalier. Vous ne risquez pas de manquer votre représentation de l'après-midi à Jefferson City ?

— Simon !

P'pa a sauté gracieusement à terre. Mais j'ai été moins impressionné par son style que par le fusil calé sous son bras. Et par les nombreux balluchons accrochés à sa selle. Tant que j'y étais, j'ai remarqué ceux de Cleaver, l'homme aux noix de coco. Il en avait au moins autant. Et il avait aussi un revolver qui pointait le nez hors de l'étui où il le planquait, accroché à sa ceinture sous sa veste. Ce qui me paraissait plutôt désagréable si l'idée le prenait de me viser, vu qu'un homme se liquéfie à toute pompe quand le canon d'un revolver se braque sur lui. Je me suis forcé à regarder ailleurs.

— Je vois que tu as fait tes bagages, P'pa. Tu projettes un voyage?

— J'ai eu une brusque envie de voir le pays de l'or, Simon.

— Mais pourquoi tu ne remontes pas jusqu'à Independence sur le bateau à vapeur du cirque, P'pa? Ça serait moins fatigant.

— Le bateau ne dépasse guère Independence. Le courant est trop fort. En outre, le Missouri ne va pas jusqu'à Denver.

— Ça, je le savais.

Et j'ai continué à bavarder de tout et de rien, parce que je n'étais pas certain de ce qui allait se passer. Et je n'étais pas pressé de le savoir. M. Peece, il devait éprouver le même sentiment, vu qu'il s'occupait à calmer les deux montures nerveuses et écumantes. Il ne paraissait pas du tout content de la manière dont P'pa et Cleaver avaient traité de si belles bêtes.

Je me suis détourné des chevaux pour voir comment Jabeth réagissait à la situation. C'était bizarre: Jabeth n'était en vue nulle part. On aurait cru qu'il s'était fondu dans le brouillard qui montait du fleuve. Comme je n'avais plus grand-chose à dire, je me suis penché pour faire taire Emmett.

— Tais-toi, p'tit gars. Ces messieurs ne nous veulent pas de mal.

Emmett n'était pas de cet avis. Il a cessé d'aboyer, mais il tremblait de tout son corps. Je sentais les frissons qui couraient sous sa peau. Et il montrait les dents. Je n'avais encore jamais vu Emmett montrer les dents. J'ai passé encore un petit moment à tenter de l'apaiser, ce qui était un prétexte pour me permettre de réfléchir. Les animaux sont toujours plus malins que ce que pensent la plupart des gens. Et Emmett était le chien le plus malin que j'aie jamais eu le plaisir de connaître. Si Emmett croyait que P'pa et Cleaver mijotaient un mauvais coup…

— J'ai horreur de te faire ça, fils.

Trop tard!

Avant que j'aie pu faire demi-tour, P'pa m'avait coincé les deux mains dans le dos.

— Ça me brise le cœur, mais tu ne m'as pas laissé le choix.

Il a ligoté bien serré mes poignets avec une longue et solide courroie de cuir, tandis que, sur son cheval, Cleaver couchait M. Peece en joue.

— Tu veux que je le libère tout de suite de sa vie de misère, Samson? il a demandé. Autant commencer par ce parfait spécimen de minable.

— Non, P'pa a répondu pendant que je me débattais vigoureusement, et inutilement, sous sa poigne de fer. Il ne fait pas le poids, et il ne vaut sans doute pas une balle. Saucissonne-le comme il faut et traîne-le dans les bois. Il se passera un bout de temps avant qu'on le retrouve.

Et puis, apparemment, il a eu une nouvelle idée.

— Il vaudrait quand même mieux le bâillonner, au cas où un bon Samaritain passerait dans le secteur.

P'pa m'a traîné dans le bois, moi aussi, après m'avoir ligoté les jambes encore plus serré que celles d'un cochon qu'on égorge. Et, tout en me fourrant presque tendrement son énorme mouchoir dans la bouche, il m'a prodigué quelques conseils paternels.

— Tu ne dois pas me tenir grief de cet incident, Simon. J'ai clairement déduit de la façon dont tu as décampé avant l'aube que tu ne voulais pas partager tes volailles. Même pas avec ton pauvre P'pa si long-temps perdu. Et dès que j'ai eu parlé à Cleaver de ton convoi de dindes, on en a eu jusque-là de notre tour-née de cirque. À présent, il faut que nous prenions le large avant que mes vieux camarades ne constatent que deux de leurs merveilleuses montures ont levé le sabot de l'écurie, si j'ose m'exprimer ainsi.

Il avait fini de me farcir comme une oie et il para-chevait le travail en nouant un foulard rouge derrière ma tête, par-dessus le bâillon.

— Tu as une belle vie devant toi, fils. Tiens-toi à l'écart des jeux de hasard et méfie-toi des faux jetons.

P'pa m'a donné une tape amicale sur le crâne. Et il a disparu. Presque tout de suite après, la pluie a commencé à tomber. Froide et drue.

— Simon? Ça va, Simon?

J'ai ouvert les yeux. Jabeth était accroupi à côté de moi, mon couteau à la main et le visage empreint d'une angoisse authentique.

— Mmmmffouch…

C'est tout ce que j'ai réussi à lui répondre.

— Tiens bon. Je vais te libérer d'un coup, d'un seul.

Et c'est ce qu'il a fait. J'ai craché mon bâillon avec soulagement.

— Tu ne m'as pas appelé «m'sieur» et tu m'as tutoyé! Merci, Jabeth. De tout cœur, merci.

— Y a pas de quoi, m'sieur.

Mais il souriait de toutes ses dents en s'attaquant aux liens de mes bras et de mes jambes. Et je me suis retrouvé debout, tout vacillant, massant mes poignets écorchés par la courroie.

— J'ai jamais connu mon père, Simon, Jabeth a repris, mais s'ils sont tous comme ça…

C'était un thème trop triste pour le moment. J'ai changé de sujet.

— Tu as retrouvé M. Peece?

— Pardi! Je lui ai ôté son bâillon et il m'a dit de m'occuper de toi d'abord.

J'ai scruté le sous-bois sous les arbres dégouttant d'eau.

— Et Emmett? Ils n'ont pas aussi enlevé Emmett?

— Jamais de la vie! Emmett tient compagnie à M. Peece. Il avait déjà mâchonné la moitié de la courroie qui lui liait les jambes.

Je me suis senti soulagé.

— Bon. Très bien. Tu viens de gagner une part de mon affaire, Jabeth. En supposant que nous puissions restituer nos dindes à leurs propriétaires légitimes : je veux dire nous.

Il a cillé comme si je venais de l'insulter.

— Je ne t'ai pas secouru pour que tu me récompenses, Simon. Je t'ai secouru parce que tu es mon ami. J'avais jamais eu d'ami avant toi.

Eh bien, voyez-vous, ça m'a autant réchauffé le cœur que l'étreinte d'adieu de Miss Rogers. J'ai secoué la pluie froide qui me dégoulinait du crâne et j'ai trouvé un meilleur angle d'attaque.

— Tu sais quoi, Jabeth? Moi non plus, avant toi, je n'avais jamais eu d'ami. Mais si tu veux venir à Denver avec nous, faut que tu aies un pourcentage clair et net en guise de salaire. Vu?

— Si tu présentes ça comme ça...

On s'est tapé sur l'épaule et puis on est allés rejoindre M. Peece. Nous devions réfléchir sérieusement.

# HUIT

— Maint'nant, d'mon point d'vue, disait M. Peece, il y a quand même deux choses d'not'côté.

On s'était blottis tous les trois avec Emmett sous un abri de feuilles et de branches qu'on avait édifié tant bien que mal contre la pluie. Elle tombait toujours aussi drue et aussi rageuse. Un petit feu flambait courageusement devant nous et nous nous réchauffions les mains à sa flamme. Malheureusement, cette nuit, nous ne pourrions chauffer que nos mains. Entre ce sale temps et un crépuscule trop hâtif, Jabeth lui-même avait été incapable de nous fournir de quoi dîner.

— C'est quoi, ces deux choses ? j'ai demandé.

Jabeth frissonnait entre nous deux, mais il a jeté un regard plein d'espoir sur M. Peece.

— D'abord, a dit mon muletier, ton père et c't aut'individu…

— Cleaver ?

— C't individu, oui… S'attendent pas à c'que nous soyons si vite libres de tout lien. S'attendent pas davantage à c'que nous les poursuivions. Tiennent pour acquis, dur comme fer, qu'nous allons abandonner la partie.

Il a levé un second doigt.

– Ensuite, ils ont pas l'air d'gens qui connaissent quoi qu'ce soit aux dindes. Quand on voit comment ils ont traité ces beaux chevaux...

– Vous croyez qu'ils vont bousiller mes dindes? je me suis inquiété tout haut. Miss Rogers, elle compte sur moi pour les conduire tout droit à Denver. Toutes les mille. Et...

– Y aura forcément un peu d'déchet, Simon. Même sans circonstances 'xtra-hordinaires. Et on vient de s'confronter avec une circonstance tout à fait 'xtra-hordinaire.

– Par ma faute, je me suis lamenté. Tout est de ma faute. Si je n'avais pas autant souhaité voir ces tigres et ces lions et ces chameaux...

– N'te morigène pas, Simon. C'tait un désir purement éducatif. Et y a jamais rien d'mal dans c'genre de désir, M. Peece a affirmé en caressant distraitement Emmett roulé en boule sur ses genoux. Mais y a toujours tapie que'que part une surprise. Et c'est sûr que ton père a été une bien mauvaise surprise.

Jabeth a bougé pour rapprocher ses pieds du feu.

– Pourriez-vous nous en dire un peu plus long

sur ces atouts que nous avons, monsieur Peece, m'sieur? J'aimerais bien les connaître.

Bidwell Peece a souri. Les flammes ont éclairé un instant le peu de dents qui lui restaient.

— Eh ben, d'abord nous t'avons toi, Jabeth. Ils savent pas qu'tu existes.

Quand Jabeth a eu fini de rayonner, M. Peece nous a expliqué son plan.

— À présent, nous avons tous besoin d'un peu d'sommeil. Et puis, dès l'p'tit jour, nous allons nous lancer aux trousses d'ces voleurs. Furtivement. Les laissons pas s'douter que nous leur courons après. Et à partir de là, nous improviserons.

Je n'ai pas eu de mal à me lever à l'aube. J'étais tout raide d'humidité et de froid, et aussi de ne pas avoir dormi tout mon content à cause des gouttes de pluie qui m'avaient arrosé régulièrement pendant la nuit à travers notre toit de fortune. Mes couvertures me manquaient, et mon petit déjeuner. Et, par-dessus tout, les glouglous réconfortants de mes dindes. Qui eût jamais pu croire qu'un père par le sang dépouillerait de tout son fils unique? Je me suis rappelé les dix ans d'invectives de Tante Maybelle contre P'pa. Elle ne se trompait pas sur son compte, finalement. J'ai essayé de penser à autre chose en me tournant vers mes compagnons.

– Hé, Jabeth !

Mon ami aurait pu dormir au cœur d'un ouragan.
Je l'ai doucement poussé du bout de ma botte.

– Hé, Jabeth, monsieur Peece, il est temps de
reprendre la route.

Pour nous réchauffer, nous trottions au milieu de
la chaussée boueuse. La pluie s'était heureusement
changée en un léger crachin. Au bout d'un kilomètre, nous sommes passés devant une ferme isolée
qui semblait à l'abandon. J'ai vu Jabeth dresser la tête
et regarder attentivement tout autour.

– Un petit déjeuner en vue, Jabeth ? je lui ai
demandé pour plaisanter.

Je ne m'attendais pas vraiment à une réponse, mais
Jabeth, il a piqué un sprint et puis il a crié :

– Venez vite et attrapez-la !

Emmett a été le premier à le rejoindre, avec moi
sur ses talons.

Le temps que M. Peece apparaisse en soufflant,
Jabeth m'avait déjà aidé à me suspendre aux cornes
d'une vieille vache brune. Elle meuglait lamentablement. Ce qui n'avait rien d'étonnant vu qu'elle avait
drôlement besoin d'être traite.

– On va faire une sacrée bonne action, pour elle
et pour nous, Jabeth a dit. Mais avant tout il me faut
votre chapeau, monsieur Peece, m'sieur.

M. Peece s'est aussitôt cramponné à son vieux feutre avachi.

— Mon chapeau? Pourquoi diable?

Il a fixé Jabeth, puis il a examiné la vache. Et la lumière s'est lentement faite dans son esprit.

— Noon! Pour rien au monde j'ne…

Il s'est mis à bredouiller, toujours agrippé à son chapeau:

— C'couvre-chef et moi, nous avons traversé ensemble l'purgatoire et l'enfer. Comment peux-tu escompter que…

Jabeth tendait une main tout à la fois patiente et sûre du résultat. Et M. Peece s'est rendu. Il lui a tendu lentement le chapeau en soupirant.

Quelques minutes plus tard, la vieille vache mugissait de soulagement, et chacun notre tour nous buvions notre content de lait chaud dans ce récipient dont un chiffonnier n'aurait pas voulu. Quand nous avons été incapables d'avaler une gorgée de plus, nous l'avons tendu à Emmett. Ce chien en a été si reconnaissant qu'il a léché jusqu'à la dernière goutte de lait, puis il a pris le bord du chapeau entre les dents et il l'a rapporté à son maître.

— C'que j'peux en faire maintenant, vous croyez? a dit M. Peece d'un air profondément dégoûté en essorant le feutre imbibé de lait.

— Remettez-le à sa place, j'ai rétorqué en riant.

On en aura peut-être encore besoin à l'heure du dîner.

Nous n'avions pas couvert plus de deux kilomètres quand nous avons vu le premier signe de ce que je redoutais le plus. Un dindon solitaire, l'air aussi égaré qu'on peut l'être, zigzaguait sur la route.

J'ai sifflé, puis je me suis lancé dans un petit discours en langage de dinde. Ce dindon a trotté droit sur moi. Je vous jure que je n'ai jamais lu autant de gratitude dans l'œil rond d'une volaille. J'ai caressé du cou au bout de la queue ses pauvres plumes trempées.

— Ouvrez l'œil, nous ne devons pas être très loin de ces canailles.

Vers la mi-journée, le soleil a répandu à travers les nuages une clarté laiteuse qui m'a rappelé notre petit déjeuner. Entre-temps, Emmett avait commencé à se sentir beaucoup mieux. Et nous aussi. Nous avions rassemblé près d'une centaine de mes volailles. Nous les avions retrouvées les unes nichées misérablement dans un arbre, les autres picorant d'un air accablé sur le bas-côté de la route. Jabeth en avait même arraché une à la gueule d'un renard avant que cette sale bête ne lui ait brisé le cou. Il y avait gagné une jolie petite peau de renard.

J'ai commencé à me sentir un peu triste pour mon père. Si c'est comme ça qu'il avait l'intention de faire fortune, il se retrouverait à Denver avec une douzaine de dindes en tout pour sa peine. M. Peece a dû avoir la même idée au même instant parce qu'il a passé en revue notre petit troupeau et souri jusqu'aux oreilles.

— Au train où ça va, mes enfants, tout c'que nous avons à faire, ce s'ra d'rester juste un peu à l'arrière d'ces filous. D'ici un jour ou deux, nous aurons récupéré toutes nos dindes.

— Mais pas le chariot ni les vivres, je lui ai rappelé. Sans parler d'Étincelle et de mes trois autres mule et mulets.

Jabeth a fait faire à mon couteau un looping aussi gracieux que ceux de Miss Lila sur sa balançoire volante.

— Moi, la seule chose qui me tracasse, c'est leurs armes. J'aime pas les armes quand elles sont entre d'autres mains que les miennes.

— Moi non plus, j'ai renchéri.

M. Peece a réfléchi.

— Faut leur tomber d'ssus quand ils les auront posées que'que part ailleurs… P't-êt'bien pendant qu'ils dorment, non?

— C'est une idée géniale, j'ai dit en démarrant. Prends l'aile gauche comme toujours, Emmett, mais ne les presse pas. Je ne tiens pas à tomber sur P'pa au prochain tournant.

Nous avons attendu que notre petit troupeau se soit confortablement niché pour la nuit dans un bosquet et puis nous sommes partis surprendre nos voleurs. En effet, trois kilomètres avant cette halte, nous avions traversé le village de Russellville pratiquement sur les talons de P'pa et de Cleaver. Du moins, c'est ce que nous ont dit les gens du cru quand ils nous ont vus arriver. Mais ils nous l'ont dit à travers leurs rideaux fermés et leurs portes à peine entrebâillées.

— Vous êtes avec les autres gardeurs de dindes?

C'était tout juste chuchoté et j'ai dû explorer du regard la rue pour voir d'où ça venait. Apparemment d'un gamin qui nous épiait à travers la fente d'une porte.

— Jamais de la vie! Nous les pourchassons parce qu'ils m'ont volé mes volailles!

— Et vous avez pas d'armes?

— Je ne me fie pas aux armes.

Un soupir général s'est exhalé des maisons, et des têtes ont commencé à se montrer, lentement, des têtes congestionnées d'indignation.

— Eh ben, c't'engeance-là, elle brandissait des fusils, ouais!

— Un vrai danger qu'c'était, leur manière de les agiter tout partout.

— Et l'escogriffe qu'a l'air d'un joueur professionnel, il nous a tiré dessus, mon gars ! Juste parce que mon gamin il avait chopé une de leurs dindes ! Le Seigneur m'est témoin qu'ils en avaient plus qu'assez !

J'ai pivoté sur moi-même pour vérifier qu'Emmett et Jabeth avaient notre troupeau bien en main. Ils l'avaient.

— Et vous leur en avez chopé combien, à ces canailles ? j'ai demandé de mon ton le plus naturel.

Un gloussement a fusé d'une fenêtre du bout de la rue.

— Une demi-douzaine, mon gars ! Toutes des grosses ! À voir comme ils se conduisaient avec nous, c'était de bonne guerre, non ?

— Russellville va festoyer ce soir, un autre a dit dans un éclat de rire.

— Mais festin ou pas, moi, j'aimerais bien mettre la main sur ces gaillards-là, a conclu un autre homme invisible.

Après ce commentaire final, j'ai pressé encore plus énergiquement mon troupeau tout au long de la rue principale et unique. D'accord, les braves gens de Russellville avaient été un peu rudoyés, mais je n'étais guère ébloui par la rigueur de leur sens moral.

Et de loin. J'ai été franchement heureux de m'éloigner de ce village et de ses deux clochers.

J'étais pourtant furibond de la perte de mes six dindes. Nous avons installé les autres et nous nous sommes lancés à la poursuite de P'pa et de Cleaver. Après tout ce que nous avions surmonté jusqu'ici, j'enrageais de voir fondre ainsi mon fonds de commerce. Enfin quoi, six dindes valaient... J'ai essayé de calculer ce qu'elles valaient pendant près d'un kilomètre et je venais d'y arriver quand Emmett a laissé échapper un grognement.

M. Peece a vite abattu sa main sur le museau du chien.

— Chut... Ils doivent être à deux pas droit devant!

Droit devant, il y avait une colline avec une rangée d'arbres bordant la route et rien que des hautes herbes partout ailleurs. Je me suis aplati dans l'herbe vite fait. Jabeth et M. Peece m'ont imité. Nous avons gravi la colline en rampant et, du sommet, nous avons aperçu un campement.

Les derniers rayons du soleil voilé de cette journée jouaient sur le plumage bronze de mes autres neuf cents dindes qui creusaient leurs nids dans l'herbe haute entourant le chariot de vivres. Et Étincelle, et Boule-de-Neige et mes deux mulets broutaient paisiblement à côté des pur-sang arabes. Parole, c'était un sacré soulagement de poser à nouveau les yeux sur eux tous !

Un bonheur parfait, je dirais même, sauf que, pour le moment, rien de tout ça ne m'appartenait comme ça aurait dû. J'ai levé les yeux vers le ciel qu'assombrissait à l'ouest un rideau de nuages noirs où s'enfouissait à présent le soleil. On n'en avait plus que pour une heure de lumière, et encore, en dépit des efforts pitoyables de P'pa et de Cleaver qui s'affairaient à allumer un feu au centre du campement.

Ils s'y prenaient comme s'ils n'en avaient jamais allumé un de leur vie. Et ils tempêtaient en même temps l'un contre l'autre. Je peux vous dire qu'ils faisaient tache sur la beauté des bêtes et celle de la nature en général.

— Toi qui es toujours tellement prêt à te servir de tes chers revolvers, Cleaver, comment se fait-il que t'aies pas mis du plomb dans l'aile à un de ces péquenauds quand ils ont pourchassé nos volailles ?

P'pa rouspétait.

— Ferme-la, Samson. J'ai fait ce que j'ai pu. C'est pas de la tarte de conduire une horde de dindons débiles !

— Non, t'as pas fait ce que t'as pu, non ! Tu les as laissés te filer entre les doigts toute la sainte journée.

— Pendant que toi, tu conduisais le chariot. Le boulot peinard, quoi !

— On l'a joué à pile ou face, Cleaver. C'est quand même pas ma faute si j'ai tiré face ce matin!

— Et hier après-midi aussi. Ce qui est contraire à tous les calculs de probabilité, Samson. J'aimerais bien voir le dollar que t'as lancé. Voir ses deux côtés. S'ils ne sont pas tous les deux «face», je veux bien manger mon...

Un tronc épais comme un cuisseau de bœuf et tout humide encore que P'pa maintenait en équilibre sur son épaule s'est balancé dangereusement près de la tête de Cleaver.

— Est-ce que tu m'accuserais de tricher, Cleaver? Je croyais que le spécialiste en la matière, c'était toi.

Cleaver a baissé instinctivement la tête et reculé. Il avait dû poser son fusil je ne sais où, sans quoi je suis sûr qu'il l'aurait pointé à l'instant même sur P'pa.

— Tu ne devrais pas prendre la mouche si facilement, Samson Green.

P'pa a encore fait rouler son fardeau d'un air menaçant.

— Non mais, écoutez voir qui c'est qui me cause!

Cleaver a reculé un peu plus avec un sourire rusé et désarmant.

— Et si je faisais griller ce beau quartier de lard que j'ai trouvé dans le chariot, Samson? Qu'est-ce que tu en dis? La journée a été longue. Un bon dîner chaud, et je te jure que les choses se présenteront un peu mieux.

– Rien ne se présentera mieux avant Denver. Comment mon simplet de fils a réussi à atteindre Jefferson City avec cette meute d'animaux monstrueux, ça me dépasse. Des dindons ombrageux et fugueurs, des mulets qui haïssent jusqu'à mon ombre...

Il a finalement posé son tronc de six mètres de long et pêché dans sa poche une boîte d'allumettes. À côté de moi, Jabeth se tordait de rire.

– Il croit qu'il va allumer ce tas de bûches de Noël avec une allumette ? il a chuchoté.

Je me suis aussi fendu d'un sourire.

– Je sais pas exactement où P'pa a passé le reste de sa vie, mais je suppose que le cirque ne vous enseigne rien d'utile.

P'pa et Cleaver ont finalement renoncé à faire du feu et ils ont dévoré mon lard cru. Après quoi chacun a allumé un manille en lorgnant tout le temps l'autre à travers les rondins qu'ils avaient vainement empilés. Entre-temps, la nuit était tout à fait tombée, et on ne distinguait guère que le bout rougeoyant de ces cigares. Mais on pouvait sentir jusqu'à l'endroit où nous étions les regards furibonds qu'ils se lançaient. À la fin, sans un mot de plus, ils se sont enroulés pour la nuit dans mes couvertures.

— Dors bien, P'pa, j'ai murmuré, vu que vous n'allez pas vous reposer longtemps, toi et Cleaver.

Les ronflements de M. Peece nous réjouissaient déjà les oreilles quand sont venus s'y mêler ceux qui montaient du camp. Je l'ai laissé somnoler une heure de plus, vu qu'à mon sens il en avait besoin. Puis j'ai donné un coup de coude à Jabeth.

— Prêt?

— Je meurs d'envie d'y aller, il a répliqué en souriant.

Il faisait déjà des moulinets avec mon couteau. S'il y avait eu clair de lune, sa lame aurait lancé des éclairs. Je me suis tourné vers mon charretier.

— Monsieur Peece?

— Umh? il a hoqueté en ouvrant les yeux.

— On descend vers leur camp. Vous pourrez empêcher Emmett d'aboyer?

Il s'est redressé sur les coudes, dans l'herbe humide.

— Le porterai. Fera l'affaire.

— Parfait. Vous vous chargerez tous les trois de Cleaver pendant je m'occuperai de mon père.

J'étais déjà en train de dérouler la longue lanière de P'pa que j'avais entortillée hier autour de ma taille quand Jabeth m'en avait libéré.

— T'es sûr qu'tu pourras l'maîtriser, fils? L'a une force prodigieuse.

— J'ai un peu de force aussi, monsieur Peece. Plus une légitime colère. Et j'imagine que je dois à P'pa de régler nos comptes rien qu'entre nous deux.

— J'comprends, Simon. Bonne chance à nous tous.

Ça s'est passé plus facilement que je ne m'y attendais. Le fusil de P'pa gisait derrière sa tête et je me suis empressé de l'écarter sans faire de bruit. Comme il dormait sur le ventre, je n'ai eu qu'à poser un genou sur son dos, peser dessus de tout mon poids et lui harponner les deux bras. Il a poussé un rugissement à réveiller un mort et le bétail aussi.

— Damnation! Quel est le suppôt de Satan qui me grimpe sur le dos!

— T'énerve pas, P'pa. Ça n'est que Simon. Ton simplet de fils.

Mes doigts s'activaient déjà sur les nœuds de la lanière que j'entortillais autour de ses poignets.

— J'ai horreur de te faire ça, P'pa. Ça me brise vraiment le cœur. Mais tu ne m'as pas laissé le choix.

En un rien de temps, j'ai rejeté les couvertures et lié les poignets de mon père à ses chevilles. Ça m'a forcé à pivoter et à m'asseoir sur lui et, pendant que j'opérais, P'pa ne cessait pas de se tortiller et de vomir un tas de mots qui auraient fait blanchir prématurément les cheveux de Miss Rogers. Et ceux de Tante Maybelle aussi.

J'ai plongé une main dans ma poche et sorti l'immense mouchoir.

— J'ai quelque chose qui t'appartient, P'pa. J'ai pensé que t'aimerais le récupérer.

J'ai retourné P'pa sur le dos et je lui ai enfoncé le bâillon bien profond dans la bouche. Peut-être pas tout à fait aussi tendrement qu'il l'avait fait un jour plus tôt.

— C'est pas forcément un signe de virilité, ce langage, P'pa. Des actes valeureux et un cœur magnanime...

Il a commencé à se cabrer violemment, de tout son corps. J'ai dû lui enfoncer mon genou dans le ventre.

— ... Miss Rogers dit toujours que c'est ce qui fait l'homme véritable.

Dans le noir, mes yeux ont rencontré les siens. Ils brillaient comme ceux de ce tigre, au cirque. De pure fureur et d'impuissance. Je suppose que les miens ont brillé en retour, avant que je relève enfin la tête.

— Comment ça va, vous autres?

M. Peece avait fini par lâcher Emmett, et le chien tenait fermement entre ses dents le pistolet de Cleaver. Parole, il avait un sacré cran, pour une petite créature! Jabeth saucissonnait de haut en bas l'homme aux noix de coco avec l'autre lanière de cuir et mon charretier le bâillonnait joyeusement.

— J't'apprendrai à braquer une arme sur moi! On m'a craché dessus, on m'a traîné plus bas qu'terre, mais jamais d'toute ma vie un homme n'a braqué une arme sur Bidwell Peece.

J'ai laissé mes amis s'amuser tout leur soûl, puis j'ai vérifié les liens. C'était du travail bien fait. M. Peece a enfin paru me remarquer.

— Et maint'nant, Simon? Comment on va disposer d'ces forbans pour qu'ils r'viennent pas au grand galop nous chercher des poux dans la tête?

— J'ai mon idée là-dessus, monsieur Peece. Pour sûr. Mais commençons par le commencement.

Je me suis penché sur Cleaver et j'ai fouillé ses poches. Vides. Toutes. Alors j'ai pensé à sa ceinture.

— Tu fais quoi, là, Simon? Jabeth a demandé. On n'est pas des voleurs!

— Il s'en faut de beaucoup, j'ai répliqué en souriant de toutes mes dents parce que je venais de sentir l'épaisseur de cette ceinture.

Je l'ai ouverte toute grande et elle a dégorgé des tas de pièces.

— Mais…

— Mais P'pa et Cleaver me doivent six dindes, au prix de Denver, Jabeth. Et aussi quelques-unes de plus qui se sont sans doute égarées hors de notre vue. Et j'ai déjà fouillé les poches de P'pa. Elles étaient presque vides, à part son dollar d'argent qui a les deux faces pareilles. Je le lui ai laissé, parce qu'il en aura sans doute besoin en chemin, vu comme sa chance a tourné.

J'ai commencé à compter les pièces d'or de cinq dollars.

— Ces six-là font trente dollars. C'est pour le festin de dindes de Russellville.

Puis j'ai regardé M. Peece.

— Je tiens à me montrer honnête, monsieur Peece. Vous, vous êtes moins impliqué que moi dans cette affaire. À votre avis, j'ai droit à combien de plus?

M. Peece s'est baissé pour empiler les pièces.

— Eh ben... J'ai compté nos dindes au coucher du soleil, pendant qu'elles s'nichaient pour la nuit, Simon. À mon avis, faut ajouter quinze aut'pièces d'or pour couvrir nos pertes.

Ce que j'ai fait. L'affaire ainsi conclue, je me suis remis debout.

— Bon. Monsieur Peece, Emmett et vous, vous allez rester ici pour la nuit. Jabeth et moi, on va charger ces messieurs sur nos mules et on va les ramener à Russellville. Les gens de là-bas semblaient pressés de les revoir.

Pendant que Jabeth souriait extatiquement à cette perspective, j'ai jeté un coup d'œil sur le camp tout en ordonnant dans ma tête les dispositions à prendre.

— Il nous reste une seule chose à décider: ce que nous allons faire de ces pur-sang. Est-ce que je dois les laisser à Russellville avec P'pa et Cleaver, monsieur Peece?

Il s'est frotté le menton.

— Sais pas, Simon. D'une part, s'rait tout juste comme agiter le serpent d'la tentation sous le nez de ton père. D'aut'part, ces individus de Russellville sont exactement l'genre à s'approprier eux-mêmes les chevaux. Vu c'qu'on a pu juger d'leurs principes moraux.

— Je détesterais que les gens du cirque nous accusent de vol, monsieur Peece. Au cas où ils rechercheraient leurs chevaux.

— Tu peux r'tourner l'problème dans tous les sens, Simon, une chose est sûre: nous n'avons pas ouvert la porte d'leur écurie. Et c't'un beau couple qui devrait bien se reproduire. Crois qu'ils atteindront un bon prix à Denver, si on les traite comme il faut en chemin. En outre, seraient un bon démarrage pour quelqu'un qui envisagerait de s'établir, à supposer qu'il envisage une carrière d'éleveur, ou que'que chose dans ce goût-là.

M. Peece a marqué une pause, puis il a repris.

— Les mulets et les mules sont d'braves et belles bêtes en soi, Simon, mais faut bien admettre... oui, faut bien admettre que, quoi qu'il arrive, ils pourront jamais avoir d'descendance.

Comme c'était probablement le plus long discours que j'aie jamais entendu couler de ses lèvres, il m'a fallu un peu de temps pour comprendre ses tenants et ses aboutissants, à part le fait évident pour le premier idiot venu que les mules ne pouvaient pas faire de petits. Le sens général, c'était que M. Peece s'était déjà amouraché de ces pur-sang arabes. C'était clair comme le jour, même dans l'ombre de la nuit. J'ai hoché la tête et fait demi-tour.

— Très bien. On prendra le risque, pour les chevaux. Entre-temps, Jabeth et moi, nous passerons la nuit avec les autres dindes et nous vous rejoindrons ici dans la matinée. Et puis nous repartirons pour Denver.

M. Peece a souri avec un soulagement évident.

— Moi-même, j'n'aurais pas pu imaginer un meilleur plan, fils.

## NEUF

Je n'avais jamais rien vu de si joyeux que les retrou-
vailles de mon troupeau le lendemain matin. Mes
volailles se conduisaient comme si elles étaient littéralement emballées de se revoir. Les dindons égarés,
surtout, qui se rengorgeaient et déployaient en éven-
tail leurs belles queues pour attirer l'attention des
dindes en pâmoison. Je dois dire aussi que M. Peece
nous avait préparé un petit déjeuner somptueux.
Pendant que nos volailles faisaient leurs mondanités et
que nous nous gavions, nous avons dressé quelques
plans.

– Présume qu'nous arriverons d'main dans la
journée à Versailles, Simon, a dit M. Peece. Independence mise à part, c'est la plus grande des villes
qu'nous aurons à traverser avant Denver. Serait pru-
dent d'compléter nos provisions en prél'vant un peu
des sous d'Cleaver.

Ces pièces tintaient au fond de mes poches. Elles
avaient tinté toute la matinée pendant notre court
trajet jusqu'au camp.

— Réfléchissez à une liste, monsieur Peece. J'aurais peut-être quelques petites choses à y ajouter.

Je savais très bien ce qui viendrait en tête de liste. En observant ce matin Jabeth jouer les épouvantails sur le flanc droit de nos dindes rescapées, j'avais situé son problème. Ç'avait quelque chose à voir avec ses pieds. Il était là, à sautiller de-ci, de-là, en agitant les bras comme d'habitude.

— Jabeth, j'ai dit.

— Oui, Simon?

— Pourquoi tu marches aussi bizarrement quand tu encadres les dindes?

Il s'est arrêté pile, avec un air de chien battu.

— Pas envie de causer d'un truc aussi nul, Simon.

— Vas-y, Jabeth. Nous sommes entre amis.

Il a baissé le nez presque jusqu'à ses larges orteils nus.

— J'apprends à aimer tes dindes un peu plus chaque jour, Simon. Je te jure, j'apprends.

— Mais? je l'ai relancé.

— Mais... (Il a hésité, et finalement il a lâché tout d'un trait :) Mais je hais pire que l'enfer de déraper dans de la fiente de dinde encore toute fumante...

C'était donc ça! Il ne m'a pas fallu longtemps pour saisir tout le sel de la situation. Une seconde plus tard, je me tapais sur les cuisses en rugissant de rire, parce que j'avais failli déraper moi aussi sur une belle grosse fiente. Jabeth n'a pas apprécié comme moi l'humour de la chose.

– Toi, tu as des bottes, Simon.

J'ai mis du temps à cesser de me tordre de rire et j'y ai réussi, mais je n'ai pas pu m'empêcher de glousser pendant presque tout le dernier kilomètre du trajet jusqu'au campement, et j'ai même continué en savourant le petit déjeuner concocté par M. Peece.

Le lendemain, nous avons laissé le troupeau juste à l'entrée de Versailles sous la garde de M. Peece et d'Emmett. Jabeth et moi, on a poursuivi notre chemin jusqu'à la ville au milieu des champs de blé mûr qui s'étendaient à l'infini. Comme nous étions encore en territoire esclavagiste – mais moins esclavagiste que le Dixieland au nord du Missouri, où résidaient la plupart des propriétaires d'esclaves –, Jabeth courbait servilement le dos et recommençait à me donner du «maître» à tire-larigot. Il se traînait à quelques pas derrière moi, en multipliant ses ridicules salamalecs et ses courbettes. Cela m'exaspérait. Mais comme c'était pour son bien, je faisais avec.

Après avoir parcouru la ville, nous avons fixé notre choix sur le plus grand bazar, où Jabeth est entré sur mes talons. J'imagine qu'on ne devait pas avoir l'air pleins aux as, vu que personne ne nous a accordé la moindre attention. Je me suis éclairci en vain la gorge une demi-douzaine de fois. Puis j'ai commencé à perdre patience. J'ai un peu élevé la voix.

— Je veux voir des bottes.

Le marchand a enfin levé les yeux de son livre de comptes et les a baissés vers mes pieds.

— Pour vous? Je crains de ne pas avoir une si grande taille en stock.

— Pas pour moi, non. Pour mon domestique.

Le bonhomme m'a jeté un regard vaguement méprisant.

— Ici, on ne fait pas la qualité pour esclaves.

— Je ne veux pas la «qualité pour esclaves». Je veux une bonne et solide paire de bottes, pour pas avoir à le rechausser tous les trente-six du mois.

Il a redressé la tête.

— Dans ce cas...

Le pauvre Jabeth a mis du temps à trouver chaussure à son pied. Avant tout, j'ai dû lui acheter une paire de chaussettes, afin que ses pieds de nègre ne contaminent pas tout le stock. Puis il a clopiné dans une demi-douzaine de paires, de l'air d'un gars qui pense que l'idée même de bottes est un non-sens total. J'ai fini par me pencher sur lui pendant qu'il se battait contre un contrefort récalcitrant.

— Tu n'as jamais eu de bottes avant, Jabeth? j'ai murmuré.

— Jamais! il m'a rétorqué. Et je commence à me demander si elles valent tout ce tintouin. Maît'e.

— Surveille ton langage, mon garçon, j'ai dit un ton plus haut. Sinon tu n'auras pas la nouvelle chemise que je t'ai promise.

— Une nouvelle chemise?

Ça a énormément ragaillardi Jabeth. Il a claudiqué encore un peu à travers la boutique avant d'articuler bien fort.

— Je c'ois que cette pai'e-là est pa'faite, maît'e, missié. Faut juste les b'iser un peu.

Nous avons laissé notre commande d'épicerie empilée dans un coin de la boutique, prête à être chargée sur le chariot le lendemain matin quand nous traverserions la ville avec le troupeau. Nous n'avons emporté que les guenilles de Jabeth, empaquetées aussi soigneusement que si elles étaient tissées de la plus belle soie. Ce marchand s'était finalement levé de derrière son comptoir et nous avait même salués bien bas dès qu'il avait vu la couleur de mon argent.

Jabeth était vêtu de neuf de pied en cap, dessous comme dessus. Il avait même un caleçon de rechange, et une seconde chemise à mettre quand la première serait raide de poussière et de sueur. Je me suis offert aussi un peu de linge, vu qu'Oncle Lucas n'avait pas précisément bien fait les choses côté trousseau quand j'avais quitté la ferme.

Je me suis également acheté un nouveau couteau pour remplacer celui que j'avais définitivement prêté à Jabeth. Mais, outre une assiette d'étain, une tasse et une couverture pour compléter son trousseau, j'avais fait une dernière emplette qui me ravissait : un superbe feutre noir à large bord pour M. Peece.

Nous marchions donc sur un petit nuage en allant rejoindre nos dindes, quand nous sommes passés devant un salon de coiffure. J'ai jeté un coup d'œil à l'auréole crépue de Jabeth, puis j'ai passé la main dans ma propre toison. Elle n'avait jamais été longue.

— Dernière station, Jabeth.

Je me suis tout de suite enfoncé dans le fauteuil tournant du coiffeur. C'était le premier que j'expérimentais vu que, pour raccourcir ma crinière, Tante Maybelle m'avait toujours fait l'honneur de me coiffer de son saladier en coupant au sécateur tout ce qui dépassait. C'était donc une grande première pour moi que la serviette blanche nouée autour de mon cou et les rasoirs qu'aiguisait le coiffeur.

— Et pour monsieur, ce sera ? Shampooing, coupe et barbe ?

J'ai tâté mes joues râpeuses.

— Pourquoi pas ? j'ai souri.


M. Peece a failli se trouver mal quand il nous a vus arriver en nous pavanant comme nos dindes

— Nom d'un petit bonhomme! C'est-y bien vous, les gars, ou bien c'est-y pas vous?

J'ai fait un tour complet sur moi-même. Je dois dire que je m'étais à peine reconnu quand, après m'avoir poudré les joues d'un talc parfumé, ce coiffeur m'avait tendu un petit miroir. Un nouveau Simon Green, un Simon bien différent, me rendait mon regard. J'ai alors fait serment de renoncer pour tout le reste de ma vie à la coupe au bol. Mais c'était pourtant chouette de savoir que le vieux Simon était quand même toujours là.

— Et comment trouvez-vous Jabeth, monsieur Peece?

J'ai aussi fait pirouetter mon ami. Jabeth, il n'avait pas eu besoin d'être rasé, et la coupe lui avait fait perdre près de dix centimètres de haut, mais je le trouvais bien plus beau comme ça. Surtout avec ses habits neufs qui ne flagadaient plus autour de lui.

— Qu'est-ce que vous en dites, monsieur Peece?

— J'crois que j'vais aller me cacher près d'mes mules, il a répondu. Vu qu'à côté d'deux lurons comme vous, y a pas une seule personne qui m'honorera d'un r'gard.

— Moi je crois que si, avec ça, j'ai dit en lui tendant le chapeau neuf que j'avais tenu caché derrière mon dos.

— Qu'est-ce que...

M. Peece a tendu les doigts vers le cadeau, puis il les a laissés retomber.

— Ce n'est pas le moment, monsieur Peece? Vous souhaitez entamer une nouvelle vie, non? À nouvelle vie, chapeau neuf, vous ne croyez pas?

Il a fini par accepter mon cadeau. Il a caressé un bon moment le feutre noir tout propre. Et puis il a envoyé valser son vieux couvre-chef et il a enfoncé le nouveau sur sa tête.

— Un homme a pas besoin d'tâter d'la bouteille quand il a un ami comme toi, Simon.

C'est tout ce qu'il a dit. Et puis il s'est lentement rendu auprès des mules.

Les jours suivants, on a marché bon train à travers cette terre à blé jusqu'au village de Cole Camp, où nous avons pris au nord ce qui était, d'après M. Peece, le dernier tronçon de route que nous rencontrerions avant longtemps. M. Peece avait appris à connaître toutes ces routes, du temps où il conduisait ses mulets sur la piste de Santa Fe, puis quand, plus tard, il avait mené des chariots sur de plus courtes distances à travers le Missouri. Cette route du nord courait sur soixante kilomètres, et elle était bien agréable, vu qu'elle suivait le Spring Fork qui fournissait aux dindes toute l'eau dont elles avaient besoin.

Ce qu'une dinde peut boire, c'est ahurissant. Les nôtres trottaient très vaillamment la plus grande partie de la journée. Mais quand elles décidaient qu'il était temps de s'arrêter, il leur fallait d'abord boire, puis manger à satiété avant de se nicher pour la nuit. Nous discutions un soir, devant le feu de camp, de la quantité d'eau qu'elles étaient capables d'absorber.

— À mon avis, réfléchissait tout haut M. Peece, une dinde d'taille moyenne peut facil'ment avaler ses deux litr'd'eau par jour.

— Plus, Jabeth a corrigé. À la fin de la journée, vous vous occupez toujours des quadrupèdes, monsieur Peece, m'sieur. Je crois pas que vous faites très attention aux dindes.

— Bien sûr que si! M. Peece a répliqué sèchement, comme s'il se sentait insulté.

— Je pencherais plutôt du côté de Jabeth, monsieur Peece. (J'ai fait glisser hors de mon assiette le squelette d'une truite, et j'en ai pris une autre dans la poêle avant que Jabeth ait pu s'en emparer.) Moi, je dirais même quatre litres.

M. Peece s'est carrément mis en colère

— Un gallon! Et puis quoi encore! Nous atteindrons d'main Sedalia où se termine not'route, et nous r'partirons vers l'ouest, non?

— Oui. Pourquoi?

— Tu s'rais d'accord pour miser quelques pièces

sur comme qui dirait un petit dispositif de mesure?

— Quel dispositif? Jabeth est intervenu. Je vois pas comment une personne peut mesurer ce que boit une dinde. Je vois pas.

M. Peece lui a fait un grand sourire.

— Un dispositif très simple, Jabeth. Et ça s'rait pas non plus d'l'argent entièrement gâché, vu qu'à long terme nous en aurons besoin pour nous tous, aussi bien les hommes qu'les bêtes.

— Allez, monsieur Peece! j'ai dit, un peu intrigué. C'est quoi, ce que vous avez exactement en tête?

Mais en guise de réponse, M. Peece a souri et s'est enveloppé dans sa couverture pour la nuit.

Le lendemain matin, nous nous sommes donc mis en route avec un peu plus d'énergie et d'excitation que d'habitude. Jabeth et moi, nous étions très curieux de savoir ce que Bidwell Peece cachait dans sa manche. Mais quand nous avons fini par atteindre Sedalia, M. Peece s'est contenté de me tendre la main, paume ouverte. J'y ai déposé une pièce et il a disparu dans le premier bazar venu, qui était aussi le seul.

Entre-temps, Jabeth et Emmett et moi et les volailles, on encombrait la petite route poussiéreuse qui traversait la ville. Naturellement, en même temps que la poussière, nous soulevions l'intérêt des

gens du cru. De tous, ça avait l'air. Ils nous entouraient, bouche bée, mais sans dire un mot jusqu'à ce
que mon muletier émerge du bazar, les mains
pleines.

— Mais c'est une baignoire en cuivre de quarante
litres, monsieur Peece!

— Exact, Simon.

— Comme celle où ma maman faisait toute la les-
sive! Jabeth a ajouté.

— Exact, M. Peece a confirmé. Maint'nant, les
garçons, quel est à votre avis l'élément majeur d'la
description que vous v'nez d'en faire?

Jabeth et moi, on s'est gratté la tête. Jabeth a
répondu le premier:

— Les quarante litres?

— Jeune homme, vous avez gagné un cigare!

M. Peece a ricané et gloussé comme un fou jusqu'à la pompe du village. Là, il a commencé à remplir
la baignoire, puis il nous a dispersé d'un geste.

— Fais une p'tit'place entre les dindes, Jabeth. Toi,
Simon, portes-y la baignoire. Et attention à n'pas
répandre une seule goutte!

J'ai obéi à ses ordres en secouant la tête tout du
long. Le superbe chapeau neuf de M. Peece lui avait-
il chamboulé la cervelle? Les villageois se rappro-
chaient de plus en plus. Ils nous encerclaient,
maintenant. L'un d'eux a finalement pris la parole.

— C'est-y que vous auriez un p'tit pari en vue, les gars? Ça m'a tout l'air d'un pari.

Un autre a craché un jet de tabac.

— Des fois qu'ça serait un pari honnête, je miserais ben que'qu'chose, moi aussi. S'est rien passé ici depuis la nuit des temps.

M. Peece s'est haussé sur la pointe des pieds, les yeux brillants.

— Certainement, messieurs. Vous êtes tous invités à participer à notre petit pari. Il ne vous en coûtera que dix cents. Mais laissez-moi d'abord vous l'expliquer. Ceci (il a désigné la baignoire) est une baignoire de cuivre d'une contenance de quarante litres. Vous êtes tous d'accord sur ce point?

J'étais soufflé: il n'avait pas mangé une seule syllabe. Il y a eu quelques hochements de tête solennels.

— Bien. Et elle est remplie d'eau à ras bord. De l'eau fraîche et pure tirée du puits de votre beau village. Quarante litres de cette eau exquise, messieurs.

Hochements de tête plus nombreux.

Ensuite M. Peece a désigné mon troupeau.

— Et maintenant, voici des dindes. Près d'un millier des plus belles dindes bronze que vous ayiez jamais vues: le dessus du panier. Notre pari est simple. Nous essayons de déterminer combien de litres d'eau un dindon frais et gaillard peut absorber au repos. Moi, personnellement, je dis deux litres.

Mes associés (il a désigné d'abord Jabeth, puis moi) penchent respectivement pour trois et quatre litres. Autrement dit un demi-gallon, trois quarts de gallon et un gallon. Vous avez tout saisi?

Nouveaux hochements de tête dans la foule qui avait considérablement grossi. Quelques sourcils froncés par la réflexion, quelques mains grattant des crânes plus obtus. Le patron du saloon du bout de la rue avait dû perdre ses clients, vu qu'il a sorti une table sur laquelle il a posé une demi-douzaine de bouteilles et de verres à leur intention. Puis il est rentré pour rapporter des chaises.

— Et comment qu'vous allez prouver qui c'est qu'a raison? a finalement questionné un barbu trapu.

M. Peece a souri.

— Rien de plus facile, cher monsieur. Nous allons placer dix dindons au bord de la baignoire. Nous les laisserons boire tout leur soûl. Puis nous verrons ce qui reste. Ceux qui s'approcheront le plus de la bonne estimation se partageront le pot.

— J'en suis, a dit le barbu. Je parie sur deux litres.

La première pièce de dix cents a roulé sur le sol.

— J'en suis aussi. Mais moi, je dis trois litres.

Une autre pièce de dix cents a suivi, inaugurant la seconde pile.

— Moi, je parie avec ce beau grand gaillard!

J'ai sursauté en entendant cette nouvelle voix.

C'était celle d'une dame. Et elle pariait! Elle se penchait à la fenêtre ouverte du saloon. Elle était habillée dans le genre de la Miss Lila du cirque. Tout au moins pour la partie de son corps que je voyais. Elle a lancé une pièce vers moi.

— Tiens, mon grand.

J'ai attrapé la pièce au vol.

— Vingt-cinq cents, madame?

— Je joue toujours gros sur les gagnants, mon loup.

Elle a ri, tout comme le patron du saloon et quelques autres messieurs qui commençaient à s'intéresser de près aux bouteilles.

J'ai soigneusement commencé d'échafauder une troisième pile, puis j'ai fixé M. Peece. Qui l'eût cru capable de concevoir un plan pareil? Parole, il aurait pu donner des leçons à Cleaver, l'homme aux noix de coco! Je me suis approché de Jabeth.

— On ferait bien de s'y mettre, Jabeth. (Et j'ai ajouté tout bas:) Choisis les plus gros.

Jabeth a plongé dans le tas et nous n'avons pas eu besoin de tout faire nous-mêmes. Les gens d'ici, ils s'y sont mis avec transport. En moins de temps qu'il n'en faut pour le dire, Jabeth et moi nous sommes retrouvés agenouillés dans la poussière, juste contre le bord de la baignoire pleine, tenant chacun un gros dindon. Huit des bonshommes avaient aussi attrapé chacun le sien. Les volailles avaient déjà flairé l'eau et dressaient le cou, leurs caroncules rouges tressautant de plaisir.

Au-dessus de nous, M. Peece souriait comme l'homme à la redingote rouge quand il avait présenté P'pa au cirque. Il ne manquait que le roulement du tambour.

— Mesdames et messieurs, à présent je vais compter jusqu'à trois. À trois, je lèverai mon chapeau. C'est alors que vous devrez lâcher les volailles.

Nous avons attendu. La foule aussi.

— Un !

Sûr et certain, M. Peece vivait un grand moment.

— Deux !

Il a fait durer encore un peu le plaisir.

— Trois !

Le chapeau neuf a tournoyé dans les airs. Les dindons pantelants de soif ont plongé la tête dans l'eau.

Je me suis remis debout et j'ai reculé. Mais pas très loin. Tout le monde en a fait autant. Nous nous tenions immobiles et silencieux sous le soleil brûlant. Personne ne pipait mot, de peur de distraire les dindons.

On a très vite vu baisser le niveau de l'eau. Elle disparaissait à vue de nez, pour ainsi dire. Mes volailles s'arrêtaient à peine pour respirer. Elles se penchaient par-dessus le bord de la baignoire, leurs pattes et leurs griffes brunes fermement ancrées derrière elles dans le sol. Elles plongeaient le bec dans la fraîcheur du liquide et l'ingurgitaient en faisant frémir leurs fanons. Quand la baignoire a été à moitié vide, Jabeth m'a donné un coup de coude.

— J'aurais jamais cru que c'était si passionnant d'observer des dindes !

J'ai jeté un coup d'œil à la ronde sur les messieurs qui tenaient un verre à la main, la dame à la fenêtre du saloon, et tout le reste du village. On aurait dit que tous étaient fascinés. Le reste de mon troupeau également. Mes dindes étiraient leurs longs cous, caroncules et jabots palpitants, yeux rivés sur la baignoire, essayant de deviner ce qui se passait. J'ai souri.

— J'ai toujours su que les volailles étaient passionnantes, Jabeth.

Enfin, un long soupir a échappé de toutes les poitrines, suivi d'un tonnerre d'applaudissements. Les dix dindons, gonflés d'eau, s'écartaient du bord de la baignoire en se dandinant. Ils se sont dressés tout droits et ils ont rejoint le troupeau. Je me suis approché, j'ai risqué un coup d'œil dans le récipient. Il n'y restait pas la moindre goutte d'eau. Ils avaient tout bu !

— Youpi ! j'ai hurlé. J'avais raison ! Ça fait quatre litres par tête !

Il y eut quelques bravos, suivis par le partage du

pot. Cette dame du saloon avait bien joué, après tout. Et moi aussi. Le pari m'avait assez rapporté pour payer la baignoire. Somme toute, ce n'était pas un mauvais investissement. Ça valait bien mieux que de parier sur des noix de coco. Je me suis tourné vers M. Peece. Il se caressait le menton.

— Eh bien, monsieur Peece?

— Eh ben, Simon, il a répondu, j'étais précisément en train d'me d'mander si les dindes pouvaient boire encore plus d'eau. Par exemple, si nous placions cinq dindes en face d'quarante litres…

J'ai donné une bourrade amicale à mon muletier.

— Une fois, c'est drôle, monsieur Peece. Mais je ne tiens pas à abuser de notre chance. Ni de nos volailles.

Puis je lui ai souri, pour qu'il sache qu'au total j'étais drôlement content de lui.

— Et je ne sais pas trop quel effet ça me fait de voyager avec un joueur.

M. Peece s'est contenté de glousser une dernière fois. Puis il a enfoncé son chapeau neuf sur sa tête.

— Emmenons les dindes avant qu'elles prennent racine au milieu d'la grand-rue d'Sedalia, mes enfants.

# Dix

Tout a marché comme sur des roulettes pendant un bon bout de temps, au-delà d'Independence que nous avons évitée, et dans le territoire du Kansas. Jabeth devenait de plus en plus bizarre à mesure que nous en approchions. Il sautillait comme une grenouille à la saison des amours.

— Monsieur Peece, m'sieur, il le harcelait à tout bout de champ, on n'y est pas déjà?

— Faut d'abord qu'on dépasse Westport, M. Peece répondait chaque fois.

— Et puis? Après Westport? Y aura une ligne? Un genre de marque en travers de la route pour indiquer la fin du Missouri et des terres à esclaves, et le début de la liberté?

— Pas précisément, Jabeth, non. Pas précisément. La prairie s'prolonge indéfiniment au-d'là, et chaque pas ressemble en quelque sorte au précédent. Jusqu'à c'qu'on pénètre dans l'territoire indien.

Là, j'ai dressé l'oreille, soudain intéressé.

— Le territoire indien? Je n'ai jamais vu d'Indiens de toute ma vie!

— Pas étonnant, Simon, pas étonnant, vu que notre État éclairé du Missouri les a tous fichus dehors y a que'ques années. Les a expédiés un peu plus loin à l'ouest, quoi. Le gouvern'ment leur a raconté qu'il y avait là-bas plein de bonnes terres où ils pourraient s'établir pour toujours.

— Et alors? j'ai demandé.

M. Peece a soupiré.

— Eh ben alors, «pour toujours» dans l'esprit des Indiens et «pour toujours» dans l'esprit des Blancs m'ont tout l'air d'être deux notions bien différentes, Simon.

— Y en a marre des Indiens, Jabeth est intervenu sans façon. Quand c'est qu'on arrive au pays de la liberté?

On a atteint le petit village de Shawnee et on l'a traversé sans encombre. Quand on s'est retrouvés dans la Prairie, de l'autre côté, M. Peece a ralenti les mules et s'est retourné vers Jabeth.

— C'est ça, il a dit.

— Quoi ça, monsieur Peece, m'sieur?

— Eh ben, Shawnee. C'est c'qui s'rapproche l'plus d'une ligne de démarcation comme tu t'l'imaginais, mon garçon. Shawnee est bel et bien au Kansas.

— Vous voulez dire que…

Jabeth a pilé au plein milieu de la route poussiéreuse où il est resté planté comme une souche un bon moment. Puis il s'est hissé sur la pointe de ses bottes qu'il avait enfin réussi à assouplir et il a fait un bond prodigieux.

– Je suis au pays de la liberté. Je suis libre. Je suis un homme libre !

C'était étrange d'observer l'enthousiasme de Jabeth pour quelque chose à quoi je n'avais jamais beaucoup pensé avant de rencontrer mon nouvel ami. Et si, moi, je m'étais trouvé dans ses bottes ? Je suppose que j'aurais été soulagé comme lui. Et M. Peece devait penser la même chose, vu que, presque aussitôt, Jabeth l'avait arraché à son perchoir du siège du chariot et qu'à présent nous dansions autour tous les trois en louant le Seigneur. Il nous a fallu un moment pour nous calmer. Puis nous avons dû faire taire Emmett qui s'était lancé dans un de ses rares solos d'aboiements à la vue de nos pitreries. Après quoi il a encore fallu rassembler le troupeau qui s'était éparpillé, affolé lui aussi par notre excitation inattendue.

N'empêche que ça en valait la peine. Jabeth, il a eu jusqu'au soir un sourire béat comme sculpté sur le visage. Il se tenait si raide, aussi, il marchait si fièrement que ça lui rajoutait quelques bons centimètres. Et c'est dans cette humeur-là que nous avons voyagé les jours suivants, le long de l'étroite piste de gravillons appelée « route nationale » dans le territoire des

Indiens. J'attendais impatiemment d'en rencontrer pour la première fois. Je ne m'inquiétais pas de leur air féroce. Pour moi, plus ils paraîtraient sauvages et mieux ça vaudrait. J'avais rencontré bien assez de gens qui se prétendaient civilisés.

La région vers laquelle nous cheminions appartenait aux Potawatomis, disait M. Peece, mais il y avait aussi, vers le sud, quelques Shawnees et Kaws et une autre tribu dite «les Fils du Renard». Les Potawatomis était censés être une peuplade pacifique. Ils chassaient un peu, cultivaient un peu la terre, bref faisaient tout ce qu'il faut pour garder leur âme chevillée au corps.

— Ils chassent quoi, monsieur Peece? j'ai demandé un soir pendant que nous installions notre camp.

— Voyons! Des bisons, Simon!

J'ai longuement fouillé des yeux la prairie sauvage qui s'étendait sans fin autour de nous.

— Je vois rien qui ressemble à un bison. Je veux dire rien qui ressemble à leur image dans le livre de Miss Rogers. Vous êtes sûr qu'il y en a encore dans les parages, monsieur Peece? Sûr qu'ils se sont pas tous fait liquider par les colons qui sont passés par ici?

M. Peece a essuyé un peu de poussière sur sa joue.

— Bon. J'vais t'dire. Dans l'temps, ici, y en avait autant que d'mouches. Quand nous quittions Independence pour suivre la piste d'Santa Fe, c'est sur eux qu'nous comptions pour nous fournir en viande. Et les Indiens en faisaient autant. Ils t'attrapaient un bison et ils t'le dépeçaient jusqu'à c'qu'il n'en reste plus rien que leurs puces. Ces Indiens faisaient leurs tipis, et leurs vêtements, et leurs couvertures avec les peaux, ils mangeaient la viande, et les os, eh ben, ils en faisaient des outils. Quand ils en avaient fini avec un bison, l'en restait pas assez pour tenter l'plus affamé des vautours.

J'ai lentement digéré l'information.

– Ça m'a tout l'air d'être une espèce bien utile, monsieur Peece.

– Elle l'était, Simon. J'espère qu'elle l'est toujours.

Tout en polissant la lame de son couteau, Jabeth n'avait pas perdu une miette de notre dialogue. Il a levé la tête. Son regard brillait.

– Vous croyez que je pourrai m'en faire un avec ce couteau?

M. Peece a réprimé un sourire.

– Si tu vois un bison quand tu n'as qu'ça en main, Jabeth, prends tes jambes à ton cou et file l'plus loin qu'tu peux.

– Pourquoi? C'est gros comment, un bison?

– C'est gros. Velu. Et cornu. Et tout ce qu'y a d'méchant quand ça sort d'ses gonds. La seule chose qui puisse en venir à bout, c't'un fusil.

Jabeth a jeté un coup d'œil au chariot où le fusil

de P'pa était toujours planqué à côté du revolver de Cleaver et de leurs paquetages auxquels nous n'avions pas touché depuis que nous les avions confisqués.

— C'est peut-être le moment d'apprendre comment on s'en sert, monsieur Peece, m'sieur.

— Une grillade de bison, a dit rêveusement M. Peece, en se léchant les lèvres. Un bon morceau de foie pour s'fortifier. Une soupe à la moelle. Pour ça, voyez-vous, j'pourrais p't-êt'surmonter c't'aversion que m'inspirent les armes. De toute façon, dans l'temps, j'en trimballais toujours une avec moi.

— Et pourquoi vous avez cessé, monsieur Peece? j'ai demandé.

Il m'a contemplé tristement.

— La boisson et les armes vont pas ensemble, fils. Ta perspective est faussée. Tu commences à lâcher la vapeur, si tu vois c'que j'veux dire. Et tu finis par blesser quelqu'un. (Il s'est arrêté, les yeux perdus dans le vague.) J'ai r'noncé aux armes quand je m'suis sérieusement adonné à la boisson. Au moins, j'ai eu assez d'bon sens pour ça.

Jabeth écoutait intensément. Pour un peu j'aurais entendu cliqueter sous son crâne un moteur tournant à plein régime.

— Vous savez donc comment les faire marcher? Les fusils, je veux dire?

— Sans me vanter, oui, je sais.

— Et l'alcool vous laisse de marbre depuis que je vous connais. Vous êtes aussi sobre que moi, maintenant!

M. Peece s'est frotté la joue.

— J'crois bien qu'c'est exact.

Jabeth a soigneusement rengainé son couteau.

— Y a donc aucune raison pour que vous ne me donniez pas quelques leçons de tir, monsieur Peece, m'sieur.

— Y en a des tas, au contraire. Que j'n'ai aucune envie d'détailler maint'nant.

Et, de toute la nuit, c'est tout ce que nous avons pu tirer de M. Peece sur ce sujet.

Notre première leçon de tir a eu lieu le lendemain matin à l'aube. Peu de temps après notre réveil, Jabeth et moi nous avons recommencé à le harceler. Au début, M. Peece se montrait toujours aussi récalcitrant. Il a mis en avant sa peur d'effrayer les dindes pour se dérober, dès qu'il s'est rendu compte qu'il ne pouvait pas nier le fait qu'il était sans aucun doute plus sobre qu'il ne l'avait jamais été depuis quinze ans.

— Quinze ans? j'ai demandé, parce que ce chiffre m'avait frappé. Vous voulez dire qu'il y a exactement quinze ans que vous avez perdu votre famille?

M. Peece a hoché tristement la tête.

— Vous ne trouvez pas étrange que ça se soit produit l'année où je suis né?

— Vois pas quel rapport ça a avec ta naissance, Simon.

— Je ne peux pas être tout à fait affirmatif, mais ça me paraît plus qu'une coïncidence, monsieur Peece. Le Seigneur reprend, mais Il redonne en même temps. Seulement il a fallu quinze ans pour que nous soyons réunis tous les trois. Presque comme une vraie famille. Vous, et moi, et Jabeth.

Je me suis tourné vers mon ami.

— T'as bien quinze ans, toi aussi?

— Pardi! Je suis né en 1845, elle disait toujours, maman.

J'ai regardé triomphalement mon muletier.

— Vous voyez, monsieur Peece.

— J'vois quoi? il a gémi. J'ai beau vous aimer comme j'vous aime, mes enfants, je n'peux pas dire que j'vois la moindre logique dans vot'façon de penser.

Je ne me suis pas donné la peine de demander ce que logique signifiait. Je me suis contenté de poursuivre ma démonstration. J'avais rêvé d'un bison, la nuit dernière — cornu, chevelu, colossal — et ce rêve avait accru mon intérêt pour les armes, au moins autant que celui de Jabeth.

— Eh bien, vous voyez que vous avez retrouvé un

genre de famille, monsieur Peece. Et vous n'avez pas même jeté un coup d'œil aux saloons des quelques petites villes que nous avons traversées. À mon avis, votre perspective est redevenue ce qu'elle était... (Je me suis arrêté pour reprendre mon souffle.) Ce qui veut dire qu'il n'y a pas de raison au monde pour que vous ne nous donniez pas quelques leçons de tir, à Jabeth et moi.

M. Peece a jeté son chapeau sur le sol en grommelant.

– J'me rends. Sortez les armes.

Nous avons laissé à Emmett la garde du troupeau qui se réveillait, et nous nous sommes frayé un chemin à travers les hautes herbes des prairies qui nous arrivaient à la taille, jusqu'à ce que nous soyons assez éloignés du camp pour ne pas affoler les dindes. Nous rencontrions de moins en moins d'arbres depuis quelques jours. Je ne voyais autour de nous que des kilomètres de prairie plate comme le dos de la main, et, là, un peuplier solitaire près d'un ruisseau.

– Stop, a dit M. Peece. Comme y a pas d'aut'cible en vue, faudra qu'on s'contente de c't arbre-là.

Jabeth tendait déjà la main vers le fusil, mais M. Peece l'a escamoté vite fait.

– Pas si vite. Faut d'abord que t'apprennes les

principes de base. Charger l'arme et l'épauler comme il faut.

— Pourquoi, monsieur Peece, m'sieur?

Jabeth était mécontent. Il brûlait de descendre feuille à feuille ce pauvre petit arbre.

— Parce qu'on n'badine pas avec les armes, Jabeth. Et j'ai pas l'intention d'mourir prématurément. Pas juste après que j'ai recommencé à trouver d'l'intérêt à la vie.

M. Peece a gaspillé une bonne heure de notre horaire de la journée à nous expliquer ces principes de base. On écoutait, Jabeth et moi, mais on avait de plus en plus de mal à se concentrer sur ce qu'il disait. Il a dû s'en rendre compte, vu qu'il a finalement tendu le fusil à Jabeth.

— Vas-y, fils. Fais d'ton mieux.

Jabeth a chargé l'arme et l'a caressée aussi respectueusement que si c'était la Bible. Puis, au bout d'une bonne minute, il a calé la crosse sur son épaule, en dirigeant le canon vers l'arbre.

— Vous voyez la petite branche qui pend à droite au-dessus du ruisseau?

— Oui. Et alors? j'ai demandé.

Jabeth l'a visée et il a appuyé sur la détente. Comme s'il n'avait fait que ça toute sa vie. La détonation a failli me rendre sourd. Quand j'ai eu fini de cligner des yeux, la petite branche n'était plus là.

— Et alors voilà.

Il m'a tendu l'arme en souriant.

— À ton tour, Simon.

J'ai regardé M. Peece. Il était devenu pâle comme un linge. Il a avalé sa salive.

— Vas-y, Simon. R'charge-la. Com'Jabeth l'a si bien dit, c't à ton tour.

J'ai scrupuleusement observé la marche à suivre que M. Peece venait de nous expliquer. Puis j'ai visé une autre branche et j'ai tiré. La crosse du fusil m'a quasiment défoncé l'épaule. Je l'ai laissé tomber, et je me suis frotté la clavicule, en regardant ma cible, plein d'espoir. Conclusion : ce peuplier n'avait rien à craindre de moi.

— Quelqu'un a-t-il vu ma balle ?

M. Peece a désigné un point situé à quelque quarante-cinq degrés de l'arbre.

— Que'que part par là.

— Oh !

Il m'a donné une grande tape dans le dos.

— Te désole pas, Simon. Sommes pas tous nés tireurs d'élite.

Après ça, nous avons encore tiré quelques coups de feu, puis nous avons fait demi-tour pour rejoindre le camp. Sauf que, en nous retournant, nous avons constaté que nous avions de la compagnie : un rang d'hommes et de jeunes gens se tenait derrière nous. Il y en avait une demi-douzaine, sortis de nulle part sans le moindre bruit. Ils avaient des cheveux longs, des pantalons de cuir, et des chemises encore plus loqueteuses que les anciennes guenilles de Jabeth. Ils avaient aussi la peau sombre, mais pas comme celle de Jabeth. Plus proche du bronze de mes dindes que du chocolat. J'ai ouvert la bouche, je l'ai refermée. J'ai recommencé.

— C'est des Indiens?

— On dirait bien, Simon. On dirait bien, M. Peece a dit, tout à fait calme et maître de lui. (Il a abaissé le fusil qu'il tenait de la main gauche, et il a levé la main droite.) Ugh!

— Bonjour, l'un a répondu. Belle matinée pour s'exercer au tir.

La pomme d'Adam de M. Peece a joué à l'ascenseur.

— C'est sûr, il a dit.

— À ce détail près que vous vous trouvez actuellement dans une réserve indienne où il est strictement illégal de décharger une arme pour quiconque n'est pas membre de notre tribu.

M. Peece a laissé retomber sa main droite.

— En fait, voyez-vous, je crois bien que ces garçons et moi n'avons pas étudié d'assez près notre géographie. Pourquoi ne nous accompagneriez-vous pas à notre camp pour partager notre petit déjeuner, messieurs? Nous pourrions vous renouveler nos excuses devant quelques tartines chaudes garnies de fa..., de haricots, il a fait de son ton le plus mondain.

L'Indien, qui avait l'air d'être le chef, a hoché la tête et nous sommes repartis ensemble à la queue leu leu.

C'est une chance que M. Peece ait mis les haricots à mijoter dans notre grand chaudron avant que nous ayons quitté le camp pour notre leçon de tir. Il les a vigoureusement touillés avec la louche avant de sortir la poêle pour y faire griller le pain. J'ai plongé dans notre réserve de maïs et j'en ai jeté aux dindes pour qu'elles ne prennent pas la route avant nous.

Pendant tout ce temps, nos nouvelles connaissances furetaient un peu partout dans le camp. Leur chef devait avoir à peu près l'âge de P'pa, pas tout à fait aussi grand que lui, certes, mais il m'avait tout l'air de cacher des muscles presque aussi puissants sous sa chemise d'un bleu passé. Il a commencé par admirer les chevaux. Puis lui et les autres se sont approchés d'Étincelle et de ses frères et sœur. Les plus jeunes des Indiens semblaient tout particulièrement intéressés par mes mules. Boule-de-Neige a même laissé un gamin du genre fluet lui caresser les oreilles, avant d'essayer de pincer un collier de dents qui ballottait sur sa poitrine. Pour finir, ces Indiens se sont permis des commentaires sur mes dindes. Pendant tout ce temps, Emmett ne les quittait pas des yeux. Il n'était pas inquiet comme avec Cleaver et P'pa. Plutôt sur le qui-vive, bien raide sur ses quatre petites pattes arquées.

Finalement, nous nous sommes tous accroupis près du chaudron. J'étais sur le point de m'excuser de ne pouvoir leur offrir d'assiettes, mais je l'ai bouclé. Les Indiens étaient déjà en train de résoudre le problème le plus simplement du monde. Ils ont pris quelques tranches du pain de M. Peece, et ils les ont plongées en guise de cuillères dans la platée de fayots. Nous avons mangé en silence jusqu'à ce que le dernier haricot et la dernière miette de pain aient disparu. Ainsi que trois grands pots de café. Nous faisions circuler les tasses à la ronde. C'était tout ce qu'il y a de plus convivial.

L'homme à la chemise bleu passé, qui nous avait adressé la parole quand nous avions fait leur connaissance, s'est finalement assis, jambes croisées, pieds sous les fesses. Je m'attendais qu'il ait le hoquet, ou peut-être à ce qu'il lâche un petit vent, après avoir avalé tant de haricots. Mais j'en ai été pour mes frais. Au lieu de ça, il a exhibé un mouchoir et s'est délicatement tamponné les lèvres. Puis il s'y est essuyé les doigts avant de le remettre dans sa poche. Vous parlez d'un sauvage!

– Merci de votre hospitalité, messieurs. (Après tout ce silence, sa voix m'a fait sursauter.) Vous vous posez sans doute autant de questions sur nous que nous sur vous et votre insolite cheptel. (Ses lèvres se sont entrebâillées sur ses dents blanches.) Je m'appelle John Prairie-d'Hiver. Je dois ce «John» à la courtoisie de mes maîtres de la mission de Shawnee, où j'ai fait mes études. (Il a désigné ses compagnons qui digéraient, confortablement étendus sur l'herbe mais néanmoins aux aguets. Comme Emmett.) Nous sommes des Potawatomis. Quelque peu déchus hélas de notre ancienne splendeur au pays du Riz-Sauvage, au nord d'ici. Mais nos grands-parents ont conclu quelques traités regrettables avec votre Grand-Père blanc de Washington. Ajoutez-leur la variole et un malheureux penchant pour votre whisky frelaté... (Il a fait une pause et j'ai jeté un rapide coup d'œil à M. Peece. Mon muletier hochait la tête, avec une sincère compassion. L'Indien a levé ses deux paumes vers le ciel.) Ce genre de choses a tendance à infléchir votre avenir. Il ne nous est resté qu'une petite parcelle de cette prairie du Kansas. Une très petite parcelle. Vous comprenez sûrement à quel point nous y tenons, puisque, si modeste soit-elle, il ne nous reste plus que cela. Et à quel point nous tenons à nos lois, si insignifiantes qu'elles puissent paraître dans un monde en voie de disparition.

Jabeth avait réussi à se faire presque invisible et tout à fait muet pendant tout le repas. Apparemment il n'a pas pu retenir sa langue un instant de plus.

— On n'a pas tué une seule créature sur votre terre, monsieur Prairie-d'Hiver, m'sieur. Pas même un lapin. On voulait tout juste s'exercer au tir. Pour pouvoir tuer un bison, si on en rencontre. Et puis il y a des voleurs de bétail qui nous poursuivent et...

— Des voleurs de bétail? l'Indien l'a interrompu en le transperçant d'un seul regard de ses yeux noirs.

— Oui, m'sieur. Des voleurs de dindes. Tout ce que Simon ici présent possède au monde, monsieur Prairie-d'Hiver, m'sieur. Ils ont déjà capturé les meilleures quand on était encore dans le Missouri, mais ils sont aussi obstinés que les chasseurs d'esclaves. Y a des gens qui ne comprennent même pas que certaines choses sont votre propriété tout ce qu'il y a de privée, comme par exemple votre âme (Jabeth s'est redressé) ou ces terres d'ici qui vous appartiennent bel et bien, quoique nous ne l'ayons pas su plus tôt.

— Et que nous nous ferons un devoir de quitter aussitôt que nous pourrons reprendre la route, a enchaîné M. Peece.

— En vous payant comptant sans discuter tous les dégâts que nous avons pu y commettre, bien que, franchement, je ne croie pas que nous en ayons commis, j'ai conclu.

John Prairie-d'Hiver a enfin souri. Ce sourire atténuait un peu la dureté de son profil d'aigle.

— Vous semblez des gens honorables comme on en rencontre peu en dehors de la communauté indienne, messieurs.

Il s'est rétabli sur ses pieds d'un seul mouvement plein de grâce. Ses amis en ont illico fait autant, comme s'ils étaient tous montés sur ressorts.

— Pourquoi ne conviendrions-nous pas que ce petit déjeuner paie largement votre incursion involontaire chez nous?

Il nous a examinés de la tête aux pieds, et je jurerais que ses yeux riaient.

— Après tout, il n'y a pas grand-chose à faire ici, et nous ne détestons pas recueillir de temps en temps quelques petites nouvelles du monde extérieur.

M. Peece a épongé son visage en sueur.

— C'est très obligeant de votre part, messieurs. Et si vous souhaitez partager un autre de nos repas pendant que nous traverserons vos terres, ne vous gênez pas.

— Malheureusement, nos terres ne s'étendent pas au-delà de la distance que vous pouvez parcourir en une journée de voyage. Nous sommes enfermés dans une très petite boîte, messieurs. Et il n'est pas évident qu'on nous y laisse encore longtemps.

— Enfermés? j'ai laissé échapper. Vous voulez dire que vous ne pouvez pas aller au-delà de vos frontières? Même si vous avez besoin de chasser le bison ou autre chose?

— Ne cherchez pas de bison en terre potawatomie, ni dans ses parages. Ces nobles animaux ont disparu d'ici depuis longtemps. Ils étaient des millions. Très peu survivent encore.

J'ai fourragé dans mes cheveux.

— Mais comment ça se peut? Des millions de bisons, c'est fait pour durer jusqu'à la fin des temps!

— Questionnez vos chasseurs blancs qui les tuent pour le plaisir, en laissant pourrir leurs carcasses! (L'Indien a maîtrisé son explosion de colère. Il a repris d'un ton plus calme.) Mais je ne crois pas que vous soyez de leur espèce.

— Non, monsieur!

— Vraiment pas!

— Pour rien au monde!

Nous secouions tous vigoureusement la tête.

— C'est bien ce que je pensais. Vous me semblez raisonnables.

Il a parcouru le camp du regard.

— En gens raisonnables que vous êtes, vous ne verrez pas d'inconvénient à conclure un marché avec nous, je suppose. À propos de ces deux chevaux.

— Il n'en est pas question! a explosé M. Peece. Je veux dire, je suis flatté de l'intérêt que vous leur portez, monsieur Prairie-d'Hiver. Vraiment flatté. Mais ils sont le point de départ du futur troupeau que j'élèverai beaucoup plus loin dans l'Ouest. Après avoir amené ces dindes au marché de Denver.

John Prairie-d'Hiver a hoché la tête.

— Vous êtes bon juge en matière de chevaux, cher monsieur. Je vous souhaite un excellent voyage.

Et l'instant suivant, ils n'étaient plus là. Ils avaient disparu dans l'herbe. Tous les Potawatomis. Sans nous lancer le moindre coup d'œil. Je me suis tourné vers M. Peece.

— Vous êtes sûr qu'ils étaient indiens ? Je n'avais encore jamais entendu personne parler comme ça. Pas même le prêcheur à l'église. Et où étaient leurs plumes, leurs mocassins, et le reste ? Ils portaient tous des bottes comme vous et moi !

M. Peece a secoué la tête.

— L'est effrayant d'voir qu'les Indiens eux-mêmes deviennent civilisés. D'nos jours, personne sait plus où est sa place. Prairie-d'Hiver s'est montré assez sympathique malgré tout, même s'il avait de temps en temps l'air de s'payer un peu not'tête. (Il a plongé le nez dans le chaudron de fayots.) En tout cas, y a rien à redire à leur appétit. Mais, il a ajouté en relevant brusquement la tête, mais, quoi qu'il en soit, nous devrions envisager des tours de garde les nuits prochaines. Ces Potawatomis ont dressé l'inventaire d'la totalité d'nos biens terrestres, mes enfants.

## Onze

Personne n'est venu troubler notre nuit de veille, mais le vent s'est levé, un vent qui allait siffler et gémir et souffler sur nous des jours et des jours à travers la Prairie où rien ne lui faisait obstacle. Ce vent semblait commencer juste au point que les derniers des humains – Indiens et colons confondus – n'avaient pas osé dépasser. C'est seulement l'après-midi suivant que quelque chose a surgi des hautes vagues d'herbe jaunie, desséchée, flétrie par le même vent, où nous enfoncions jusqu'aux épaules.

Surgissant de nulle part, quelques perdrix pendues à la ceinture, Jabeth a chantonné en guise d'avertissement :

– V'là du monde !

M. Peece a tiré d'un coup sec sur ses rênes. Les mules ont pilé sur place. Les chevaux, attachés à brides longues derrière le chariot, se sont arrêtés en piaffant. Mes dindes, freinées en plein élan, ont buté l'une dans l'autre. Emmett les a ignorées et s'est déchaîné en une orgie d'aboiements. Bidwell Peece a allongé le cou et braqué les yeux vers le nord-est, où il me semblait distinguer à présent comme l'ébauche d'une vaguelette se propageant à travers l'herbe haute.

— Nous sommes déjà sortis de la réserve indienne, pas vrai, monsieur Peece ? j'ai demandé, avec une sorte de pressentiment très désagréable.

— On d'vrait l'être, il a grommelé. M'demande si leurs lois s'appliquent bien aux Indiens qu'abandonnent leur réserve et pas seul'ment aux Blancs qui la traversent.

Jabeth avait déjà bondi à l'arrière du chariot.

— Vous voulez que je vous passe le fusil, monsieur Peece, m'sieur ?

— J'aime mieux pas. La violence m'inspire un profond dégoût, Jabeth. De plus, le fusil n'nous servira guère s'ils en ont plus que nous.

Jabeth n'a pas apprécié cette réponse.

— Alors on est censés faire quoi ? Rester assis bras croisés en attendant qu'ils nous liquident ? Y a pas un seul endroit où s'abriter dans cette fichue prairie ! Si au moins il y avait un brave honnête bois...

J'ai grimpé sur le siège à côté de M. Peece pour avoir un meilleur point de vue.

— Ils approchent, j'ai signalé. Y en a qu'une seule fournée, je crois, qui avance en plus ou moins droite ligne à travers la Prairie.

J'ai plissé les yeux pour mieux voir, puis j'ai sifflé.

— Nom d'un pétard!

— C'est quoi, Simon?

M. Peece s'est dressé sur le banc à côté de moi, et
Jabeth s'est agrippé au dossier.

— C'est quoi, par le diable!

— Des monstres, Jabeth a glapi. Des monstres qui
nous foncent dessus!

J'ai éclaté de rire. D'un rire qui me secouait de la
tête aux pieds. Jabeth et M. Peece m'ont tapé dans le
dos jusqu'à ce que je retrouve mon sang-froid.

— Stop, j'ai crié. Bas les pattes! C'est pas des
monstres. Pas du tout. Ni des Indiens. Ce n'est que
des chameaux et ils nous amènent P'pa et Cleaver!

Jabeth a sauté à terre et couru vers l'arrière du
chariot.

— C'est le bouquet! Cette fois, personne ne
m'empêchera de charger notre fusil!


P'pa et Cleaver avaient dû retourner à leur cirque,
après tout. Sans ça, où se seraient-ils procuré des chameaux? Toute une famille de chameaux. À mesure
qu'ils approchaient, j'ai reconnu le papa chameau qui
gémissait si lamentablement en trottant autour de la
piste avec une énorme charge sur le dos. Et la maman
chameau, que montait Cleaver, juste derrière mon

père. Et derrière elle, leur petit, qui allongeait le trot pour les suivre. Leur allure ne me paraissait pas très normale, mais elle l'était peut-être pour des chameaux. Ce qui ne me paraissait pas non plus très normal, c'est ce que P'pa et Cleaver fabriquaient en nous fonçant dessus.

— Peux pas y croire, a exhalé M. Peece dans un soupir. Après tout'l'eau qu'a déjà coulé sous les ponts! Mêm'quand j'y ai fait allusion d'vant les Indiens, j'ai jamais vraiment cru…

— Que P'pa et Cleaver allaient encore nous courir après?

— Exact, fils. Et maint'nant ces gredins nous couchent en joue!

Ils ne nous couchaient pas seulement en joue. Ils commençaient à nous tirer dessus.

— Baissez la tête! j'ai hurlé. Et j'ai joint le geste à la parole.

Leur fusillade ne me gênait pourtant pas trop. D'abord, ils nous visaient du haut de chameaux, qui me semblaient le genre de monture le plus proche d'un tremblement de terre. Et d'après ce que je savais des tremblements de terre, ils ne vous aident guère à tirer comme il faut. Ensuite, il y avait Jabeth, étendu de tout son long contre le châssis du chariot et prêt à descendre tout ce qui bougerait sitôt qu'il se serait décidé à appuyer sur la détente. C'était un mystère pour moi qu'il ne le fasse pas. J'ai rampé le long du chariot, du côté abrité, pour le questionner.

— Pourquoi tu réponds pas à leur tir, Jabeth, nom d'un pétard? j'ai dit en m'allongeant près de lui.

— Ils sautent beaucoup trop sur ces monstres. Ça me serait bien égal de blesser un peu l'un ou l'autre. Ça me serait vraiment égal, Simon…

Il gardait l'œil fixé sur l'ennemi.

— Mais?

— Mais je ne me sens pas le cœur de commettre un meurtre pur et simple.

— Oh!

J'ai médité là-dessus tandis que mon père émergeait finalement de l'herbe sur le dos de son chameau qui poussait les hauts cris. P'pa était toujours mon P'pa, malgré tout.

— Ça va, Jabeth. Je crois que je comprends ce que tu veux dire.

Cleaver arrivait sur ses talons, et le petit chameau en dernier. Il s'est carré sur ses quatre pattes en soufflant et en fixant mon chariot, mes mules et mes dindes comme s'il venait pour la première fois au cirque. Mes mules ont dû éprouver un sentiment analogue, vu qu'elles se sont mises à braire à gorge déployée.

On a alors eu ce qu'on pourrait appeler la pause avant la bataille.

Il y avait toutes les variétés de bétail qui s'excitaient l'une contre l'autre en glapissant de toutes leurs forces. Il y avait Emmett qui aboyait à s'enrouer. Il y avait P'pa et Cleaver qui braquaient leurs armes sur nous et nous qui braquions nos armes sur eux. Enfin notre arme. P'pa a été le premier à prendre la parole. Il a dû hausser le ton pour dominer le vacarme.

— Je suis heureux de voir que tu as toujours ton troupeau, Simon. (L'air vaguement nauséeux, il s'est agrippé à la bosse de sa monture qui se balançait sous lui.) Et que tu as été aussi vite.

— C'est très aimable à toi de t'en soucier, P'pa, j'ai hurlé en retour.

Cleaver, derrière lui, a ajouté son grain de sel.

— Ça, c'est tout lui, Simon. Pendant tout le trajet de Russellville à Independence où était amarré le bateau du cirque, ton père n'a pas arrêté de se faire du mauvais sang pour toi et tes volailles. Il se demandait jusqu'où vous étiez allés. Il se demandait si vous teniez mieux en main ces bestiaux que nous ne l'avions fait pendant le court laps de temps où nous les avons fréquentées. Et tout cela en nous débarrassant des plaques de goudron et des plumes de dinde dont nous étions enduits. Ce mélange plume goudron était un petit hommage que nous avaient délicatement rendu les gens de Russellville entre les pattes desquels vous nous aviez laissés.

— Une communauté très intéressante, j'ai opiné.

P'pa a craché, puis il est parvenu à donner un coup de talon dans le ventre de son chameau.

– Assis, Ali, il lui a commandé.

Mais il lui en a donné l'ordre avec plus d'assurance dans la voix que sur son visage qui était légèrement verdâtre.

C'était fascinant d'observer tout ce qu'un chameau doit faire pour se débarrasser de son cavalier. Tous ces grognements, cette flexion des jambes en avant d'abord, puis en arrière, avant que son ventre touche la poussière. Ce n'était pas une monture aussi commode qu'un cheval ou un mulet dont on se laisse facilement glisser. Ali est parvenu au terme de l'opération avec un «whump» final et P'pa a rampé entre ses bosses jusqu'au sol avec un soulagement évident, le fusil en avant.

Cela m'intriguait. J'ai pensé que je n'aggraverais pas les choses en posant une question.

– Pourquoi Cleaver et toi vous n'avez pas pris la fuite avec cet autre couple de chevaux arabes du cirque, plutôt qu'avec...?

– Avec cette lie maudite de l'espèce animale?

Papa a balancé sa main libre un peu trop près de la bouche d'Ali. Le chameau l'a happée en claquant bruyamment des mâchoires.

– Aïe! (Il a donné un coup de pied au chameau et libéré sa main qu'il a serrée sous son aisselle.) Damnation! Tu vois ce que je veux dire, hein? Tu t'imagines que nous n'avons pas d'abord pensé aux chevaux?

— Malheureusement, Cleaver a pontifié du haut de son perchoir, nos vieux camarades avaient placé une sentinelle devant les box de ces bêtes de prix. Comme nous ne pouvions guère envisager de chevaucher le lion ou le tigre et que les chiens savants ne nous convenaient pas, notre choix s'est trouvé singulièrement limité.

Il a vérifié que P'pa nous tenait toujours en joue avant de faire asseoir d'un coup de talon sa chamelle. Il en est descendu avec plus d'assurance que son compère.

— Je me suis en quelque sorte pris d'amitié pour Fatima durant notre brève intimité. N'est-ce pas, Fatima?

Le petit chameau l'a envoyé bouler pour venir se frotter contre sa mère.

— Dommage qu'elle ait eu cet abominable petit. Il a fait un tel foin que nous avons dû l'emmener, Cleaver a dit en s'époussetant et en récupérant son fusil. J'ai bien peur que tous les enfants ne soient un épouvantable fléau.

— Quoi qu'il en soit, P'pa est intervenu. (Il a eu un renvoi en se remettant d'aplomb sur ses jambes flageolantes et son teint a commencé à virer du vert au rouge brique.) Quoi qu'il en soit, Cleaver et moi avons énormément réfléchi aux erreurs que nous avions commises la dernière fois en pilotant ces volatiles. Il nous a semblé que nous étions à présent en mesure d'améliorer notre technique et de les conduire à bon port jusqu'à Denver. Et, dans la mesure où c'est le cas, nous avons pensé que tu pourrais envisager un marché.

– Un marché ? j'ai demandé.

C'est fou ce que les marchés excitaient les gens, ces temps-ci.

– Ouais. Je t'échange ces chameaux inestimables venus tout droit de l'Orient mystérieux contre l'ensemble de ton entreprise itinérante.

M. Peece a toussoté derrière moi. Je suppose que c'était un avertissement, mais je n'avais pas besoin de réfléchir longtemps à la proposition de mon père.

– Désolé, P'pa. Je suis certain que les chameaux sont des créatures admirables. Surtout dans ces lointains déserts d'Égypte qui sont leur berceau. Mais, inestimables ou pas, je ne crois pas que les habitants de Denver seraient disposés à m'en donner cinq mille dollars.

Jabeth s'en est enfin mêlé.

– Vos jacasseries, y en a marre, Simon. Dis à ton père et à Cleaver que s'ils ne jettent pas leurs armes vite fait, ils se retrouveront avec un bras, une jambe ou les deux en moins.

— Vous avez un fusil, Cleaver a ricané. Nous en avons deux. Qu'est-ce qui se passera quand t'auras tiré ton coup, négro ? Tu crois que t'auras le temps de recharger ?

— Vous n'aurez pas le temps de recharger vos fusils, vous non plus, Jabeth a remarqué, avec beaucoup de bon sens je trouve.

— Certes. Mais nous avons deux fusils chacun. (Sans se retourner, Cleaver est passé derrière sa chamelle. Sûr et certain, elle avait un autre fusil en travers de la bosse. Il s'était passé tant de choses en si peu de temps que je ne l'avais pas remarqué.) Et ces fusils, ils sont chargés. L'un et l'autre. Je ne mens pas. Et ce n'est pas un truc à la noix de coco.

J'ai regardé M. Peece qui, pendant tout ce temps, n'avait pas pipé mot, à son toussotement près. Il était accroupi et serrait Emmett contre lui, en essayant d'empêcher le petit chien de se ruer à la fois sur P'pa et Cleaver à pattes nues, si je peux dire. Il courbait les épaules sous le poids de la défaite.

Et maintenant ? je me suis demandé. Allait-on rester là sous le soleil brûlant et le vent sec, à écouter braire mes mules et glouglouter mes dindons jusqu'au Jugement dernier ? Je crois que j'ai encore oublié Jabeth, qui était pourtant allongé à ma droite, tout près de moi. Mais il avait sûrement remarqué, lui aussi, l'accablement de M. Peece. Seulement il a décidé d'agir.

– J'abandonne pas si vite, moi, il a dit.

Il a levé le canon de son fusil et il a tiré. La main droite de Cleaver a instantanément laissé choir son arme, et sa main gauche a empoigné son bras blessé. P'pa a hésité un instant de trop à riposter. Il se demandait peut-être s'il avait réellement envie d'abattre son fils unique. J'aimerais bien le croire. En même temps, des tas de choses commençaient à se passer, mais j'ai mis un bout de temps à toutes les enregistrer.

Quelque chose a surgi de l'herbe. Un tas de choses, poitrines nues et visages maquillés de peinture de guerre. Brandissant des carabines et des hachettes, et hululant à vous percer les tympans. Ma bouche s'est ouverte comme un four quand j'ai compris que c'étaient des Indiens! De vrais Indiens sur le pied de guerre! Je ne savais plus où regarder. Du côté de P'pa et de Cleaver? De celui de mes belles dindes attaquées de toutes parts?

Jabeth n'avait rien remarqué. Il ne pensait qu'à recharger son fusil le plus vite possible. Malgré tout, ça prend toujours du temps, et quand il s'est retrouvé prêt à tirer, tout était déjà fini.

J'ai rampé dans la poussière hors de mon abri. J'ai cligné des yeux, abasourdi. Papa et Cleaver étaient en train de se faire proprement ligoter par des êtres qui, brusquement, m'ont paru se ressembler comme des frères, sous toute cette ahurissante peinture de guerre, à nos Potawatomis. Je me suis approché.

– Monsieur Prairie-d'Hiver? j'ai demandé, en cherchant à reconnaître ses pommettes hautes sous les rayures jaunes et rouges. C'est bien vous, sous tout ce maquillage?

– On le dirait bien, il a souri.

– Mais je croyais que les Potawatomis étaient une tribu pacifique de chasseurs et de fermiers?

– Nous le sommes, il a dit, tout en vérifiant que ses amis nouaient solidement leurs cordes autour des chevilles et des poignets de P'pa et de Cleaver. Mais il nous arrive de nous ennuyer. Notre curiosité s'éveille également lorsque des étrangers traversent notre réserve à dos de chameau sans nous en demander la permission. Nous commençons alors à additionner deux et deux. En tant que pacificateurs officiels de notre territoire, il nous incombe de veiller à ce que rien de bizarre ne se produise sur nos terres.

– Mais, j'ai bafouillé, sûr et certain, nous sommes sortis de vos frontières à l'heure qu'il est!

– Tout dépend de l'interprétation que l'on a de la notion de «frontière», n'est-ce pas? Et tous les hommes blancs savent que les Indiens sont trop incultes pour assimiler réellement ce concept.

— Mais…

La tête me tournait pour de bon.

— Mais rien du tout, Simon.

M. Peece m'avait enfin rejoint. Il a tendu la main
à M. Prairie-d'Hiver.

— Puis-je avoir l'honneur de vous serrer la main,
monsieur? Je n'ai jamais assisté de toute ma vie à une
intervention si à propos.

Ils se sont serré la main. Longuement.

M. Peece m'a donné un coup de coude pour que
je l'imite. Je l'ai fait et, pour finir, Jabeth en a fait
autant. Pendant tout ce temps, les chameaux nous
regardaient comme si nous étions fous. Les dindes
également. C'est alors qu'une pensée m'a traversé
l'esprit.

— Monsieur Prairie-d'Hiver? (Il m'a regardé.)
Monsieur, je tiens à vous remercier pour votre aide.
Vous et tous vos amis.

J'ai désigné quelques-uns des jeunes Indiens qui se
tordaient de rire en contemplant P'pa et Cleaver sau-
cissonnés au milieu de la route.

— Je tiens aussi à vous faire un cadeau. Vous le
méritez. Pas comme un paiement, ni quelque chose
de ce genre. (Je me rappelais avoir ainsi pratiquement
insulté Jabeth, quelques jours plus tôt.) Non, juste un
présent, de moi à vous et à toute votre tribu. Choi-
sissez ce qui vous ferait plaisir.

Le regard de John Prairie-d'Hiver s'est aussitôt posé sur les chevaux arabes de M. Peece. Puis il a remarqué l'expression de mon charretier. Il a aussitôt porté son attention sur le reste de mon cheptel.

— Merci de votre aimable proposition. Je dois reconnaître, jeune homme, que j'ai pensé à ces dindes depuis notre première rencontre. Historiquement, mon peuple tient ces animaux pour stupides et couards. (J'ai ouvert la bouche pour protester, mais M. Prairie-d'Hiver enchaînait.) Et ils se refusent à les manger, de crainte d'acquérir ces tristes caractéristiques. (Il s'est arrêté pour observer mon troupeau.) Une attitude à courte vue, j'en ai peur, il a commenté, avec un haussement d'épaules. Mais vos oiseaux témoignent d'une sorte de grandeur, et il est temps pour nous d'entrer enfin dans l'âge moderne, tout au moins en ce qui concerne l'élevage des volailles. Nous avons encore quelques dindons sauvages, mais si nous pouvions offrir un peu de sang frais à ce troupeau…

— Oui, monsieur, j'ai dit en avalant ma salive. C'est une fameuse idée. Vous en voudriez combien?

— Avec combien de dindes un dindon peut-il s'accoupler au printemps?

Comme j'en connaissais un bout sur la question, j'ai tout de suite répondu sans réfléchir.

— De dix à douze, monsieur. Chaque dinde pondra entre trente et quarante œufs fin mars. Il ne vous faudra pas plus de quelques saisons pour avoir votre propre troupeau.

Il a hoché gravement la tête, puis sorti le mouchoir que j'avais déjà vu et il a commencé à essuyer son visage tout peinturluré.

— Singulier maquillage, n'est-ce pas? Je ne suis même pas sûr que nous ayons reproduit comme il fallait le motif original. Personne ne semble se le rappeler exactement. Mais il paraît impliquer des couleurs éclatantes. (Il a fini de se démaquiller avant de reprendre.) Alors, que diriez-vous d'une douzaine de dindes? Et de deux dindons? Juste pour être tranquilles. Rajoutez-y les chameaux si vous ne savez qu'en faire. Nous pouvons aussi bien essayer de les élever.

J'ai poussé un soupir de soulagement. Ç'aurait pu être pire. Bien pire. Et j'avais déjà commencé à me demander ce que je ferais de ces chameaux, vu l'aversion qu'ils paraissaient inspirer à mes mules.

— Marché conclu, monsieur. (J'ai marqué un temps.) Si vous me promettez d'embarquer aussi mon père et Cleaver.

M. Prairie-d'Hiver a reporté son attention sur les prisonniers.

— Ce géant est votre père?

J'ai hoché tristement la tête.

— Je pense que nous n'avons jamais été tout à fait une famille. Ne lui faites pas de mal, s'il vous plaît. Mais j'arriverai plus vite à Denver sans lui, voilà tout.

Il a continué d'étudier P'pa.

— Je comprends. Il ne sera pas nécessaire de lui infliger un châtiment excessif.

Son regard s'est reporté de mon père au troupeau.

— Je peux choisir?

— Bien sûr, monsieur. Ce sont toutes de belles et robustes volailles.

Bon, je reconnais que ça m'a fait un peu mal d'en avoir perdu quatorze de plus. Mais c'était pour une bonne cause. Et ça me flattait aussi de penser que mes dindes seraient le point de départ de quelque chose d'utile à ces paisibles Potawatomis. D'ici quelques années, ils pourraient convoyer leurs propres volailles à Denver.

Cela ne m'a pas fait plus de peine que ça de dire encore une fois au revoir à mon père. Il m'a lancé un regard meurtrier avant de commencer à émettre des sons encore pires que ceux des chameaux quand ils se sont tous éclipsés à travers les hautes herbes. Cleaver n'a pas dit un mot. Il était trop occupé à bercer son bras blessé que Jabeth lui avait bandé avec sollicitude.

— Un joli coup. Bien propre, a dit Jabeth en le pansant. La balle vous a traversé le biceps de part en part exactement comme je le voulais. Si vous gardez le bras tendu, ça vous fera tout juste un peu mal pendant un petit bout de temps.

Après qu'ils ont tous eu disparu, M. Peece est allé inspecter le camp.

— M'a tout l'air d'être un peu tard pour repartir, Simon. Ça t'embête pas qu'on s'installe ici pour la nuit?

J'ai fait non de la tête.

M. Peece s'est penché pour ramasser un fusil abandonné, puis un autre.

— On dirait bien qu'on s'constitue une vraie armurerie, fils. J'espère qu'ça présage pas d'l'avenir.

# DOUZE

Nous pensions bien rencontrer d'autres indigènes après les Potawatomis. Néanmoins, nous ne savions pas exactement à qui ni à quoi nous attendre, vu que nous voyagions maintenant à travers ce que M. Peece appelait une contrée vierge, attendu qu'il n'y avait jamais mis les pieds au cours de ses voyages antérieurs. Mais je ne craignais pas qu'on s'y perde puisque, de toute manière, nous devions suivre le cours d'eau, compte tenu que les volailles et les quadrupèdes avaient toujours besoin de boire jusqu'à plus soif à la fin de chaque étape. Et M. Peece disait que si nous continuions à longer comme maintenant le Kansas, puis, quand le fleuve se scinderait en deux, à remonter son affluent de la Smoky Hill's Fork, eh bien nous arriverions tôt ou tard aux contreforts de Denver.

Nous avons été malgré tout un peu surpris quand, en fait d'indigènes, nous sommes tombés sur des soldats du régiment de cavalerie de Fort Riley. C'était deux jours après notre dernière rencontre avec P'pa et Cleaver. La pensée m'a effleuré en passant, avant qu'on soit nez à nez avec ces gens, que mes finances s'en seraient beaucoup mieux trouvées si la cavalerie nous avait secourus en lieu et place de M. John Prairie-d'Hiver et de ses Potawatomis. Puis j'ai jeté un coup d'œil sur mon troupeau et je me suis reproché d'être cupide à ce point. Si ces Indiens n'avaient pas été aussi honnêtes qu'ils l'étaient, ils auraient pu s'emparer de mon entreprise entière mille fois plus facilement que P'pa. En l'état des choses, j'avais en quelque sorte répandu dans le pays un peu d'amitié et d'élevage de dindes comme ce Johnny Appleseed dont Miss Rogers nous parlait toujours à l'école.

Du coup, j'ai recommencé à penser à Miss Rogers. Comme elle serait heureuse de savoir que nous étions allés aussi loin! J'avais peine à croire qu'elle ne connaissait rien de Jabeth, ni de mes rencontres avec mon père et Cleaver, ni des Indiens. Elle adorerait ces histoires.

Je marchais le long de l'aile droite de mes dindes en écrivant dans ma tête une lettre où j'essayais d'expliquer tout ça à Miss Rogers, et en me demandant comment j'arriverais à le coucher sur le papier. Chaque fois que je prenais une plume d'oie ou un bout de crayon entre mes grosses pattes, si fort que j'essaie de bien faire, les lettres en jaillissaient sens devant derrière ou la tête en bas. J'imagine que ma cervelle de paon devait être en fait de retour à Union, Missouri, en train de se tourmenter au sujet de cette lettre plutôt que de prêter attention à ce qui se passait ici dans le Kansas, vu que j'ai sauté jusqu'au ciel quand le premier coup de feu a retenti.

C'est alors seulement que j'ai entendu les chevaux qui nous fondaient dessus et les «Youpi!».

– Je l'ai eu!

– Bon sang! Raté!

J'ai écarquillé les yeux en constatant vite fait ce qui se passait. Des cavaliers en tunique bleue nous cernaient. Un régiment entier, on aurait dit. Et ils faisaient un carton sur mes dindes!

– Dites donc! Qu'est-ce que vous fichez? Arrêtez immédiatement!

J'ai trébuché sur un corps, et je me suis penché pour ramasser une dinde qui poussait son dernier soupir.

– Là, ma belle, là, je lui ai murmuré en lissant son superbe plumage. Je crois que tu ne verras jamais Denver.

J'ai couru à l'arrière du chariot qu'avait arrêté M. Peece et je l'ai doucement déposée sur une montagne de maïs. Le paradis des dindes, sûr et certain. Pendant que j'essuyais mes mains ensanglantées sur le fond de mon pantalon, j'ai senti croître en moi une juste colère, plus forte encore que le jour des arnaques à la noix de coco de Cleaver. J'ai bondi vers les soldats qui, du haut de leurs chevaux, rigolaient de mon troupeau épouvanté. Leurs fusils étaient toujours pointés sur lui, et prêts à tirer quelques coups de plus.

— Je... je rosserai personnellement le premier type qui appuiera à nouveau sur la détente, j'ai réussi à cracher. (C'était dur, vu que je bouillais de fureur et que je sentais même mon cœur cogner dans ma poitrine. Malgré ça, j'ai continué:) De quel droit vous vous en prenez à mes volailles? Je croyais que les soldats étaient censés protéger les civils innocents?

— Dégage, môme, a glapi un soldat. Y a trop longtemps qu'on n'a rien eu pour tirer dessus.

— Presque tous les Indiens se sont barrés, a dit un autre. Et y a plus de bêtes sauvages à cinquante kilomètres à la ronde du fort.

Il a soufflé sur le canon de son fusil. Comme provocation, ça me suffisait. Je me suis campé en face de son cheval et de lui, les yeux étincelants de rage.

— Calme-toi, Simon, M. Peece m'a supplié du haut du chariot.

— Ils sont allés trop loin pour que je me calme!

En un instant, j'ai arraché ce soldat à sa selle et je l'ai précipité dans la poussière à laquelle il appartenait. Sûr et certain que le reste de la cavalerie aurait pu m'étendre raide mort sur-le-champ, mais son instinct sportif a eu l'air de prendre le dessus. Ces gens ont baissé les armes, tout en donnant du talon dans les flancs de leurs chevaux pour former un cercle autour du soldat à terre et de moi.

— Vas-y, Clancy! (Un de ses copains l'excitait.) Flanque à ce garçon de ferme la raclée qu'il mérite!

Clancy a bondi sur ses pieds. Il a brossé son uniforme et il a pris cette posture de boxeur que j'avais déjà vu certains types adopter devant le saloon d'Union. Je me suis mis en garde comme lui en sautillant, les poings levés.

— Allez, cogne, Clancy.

— Sers-lui ton crochet du gauche!

Clancy a cogné. Mais je me méfiais depuis que ses amis avaient parlé de son crochet du gauche, et j'ai esquivé le coup. Après ça, j'en ai esquivé deux autres, en me balançant hors de portée de ses poings, puis j'ai conclu que boxer était une façon ridicule d'essayer de gagner. J'ai levé mon poing droit comme si j'allais le balancer dans la grosse face rougeaude de Clancy et, au lieu de ça, j'ai baissé la tête comme faisait chez nous le taureau d'Oncle Lucas et j'ai chargé en plein milieu de son torse en forme de barrique.

— Oomph!

L'air a jailli à toute blinde des poumons de ce soldat, je peux vous le dire. Je suis resté une longue minute au-dessus de son corps. Puis je me suis tourné vers les autres.

— À qui le tour, salopards d'assassins de dindes ?

L'un d'entre eux s'apprêtait déjà à descendre de sa monture, et j'en serais facilement venu à bout si un autre cavalier ne s'était pas pointé au grand galop. Il y avait plein de galons d'or sur ses épaulettes et aussi sur son large feutre. Ça devait être un officier.

— À vos rangs, fixe !

Je n'ai jamais vu personne obéir aussi vite que ces soldats de malheur. En moins d'une minute, même leurs chevaux se sont alignés sur un seul rang.

— Sergent Johnson ?

— Colonel Masters, monsieur ? le soldat qui était à présent en tête de file a aboyé en retour.

— Expliquez-moi ce qui se passe exactement ici, sergent.

Le sergent a eu l'air drôlement embêté.

— Eh bien ! monsieur, on s'amusait un peu, monsieur. C'est tout.

— On s'amusait ! j'ai rugi, toujours aussi furibond. Ils s'entraînaient au tir sur mon troupeau, oui ! C'est ça qu'ils faisaient ! Ils ont surgi de nulle part en hurlant et en tirant. Et nous, nous étions sans armes et innocents ! Ils ont tué au moins une de mes volailles, et les autres mettront sûrement un ou deux mois à s'en remettre !

Le colonel a reporté son regard d'acier sur le sergent.

— Est-ce vrai, Johnson?

— Je peux vous certifier que c'est la vérité vraie, M. Peece est intervenu du haut de son siège. Nous avions précédemment survécu aux attaques des Indiens et des voleurs de bétail, monsieur, et je préférerais les affronter de nouveau plutôt que votre cavalerie ici présente!

Il a prononcé «cavalerie» comme si c'était un gros mot.

Le colonel s'est dressé droit comme un i sur le dos de son grand alezan, en toisant du regard ses hommes alignés d'un côté de la prairie, puis nous au milieu de la piste pleine d'ornières, puis le soldat que j'avais rossé et qui décorait toujours la poussière.

— Qu'est-il arrivé au soldat Clancy?

— Il s'apprêtait à tirer de nouveau sur mes volailles, j'ai répondu. On s'est battus en combat loyal. Et j'ai gagné. Et, s'il le faut, je combattrai de même toute l'armée des États-Unis. Personne ne m'attaque ni n'attaque les miens sans raison.

— Bien dit, jeune homme, a dit le colonel. Un homme de cœur comme vous aurait un emploi tout trouvé dans cette armée. Vous n'avez jamais songé à vous engager?

— Non, monsieur. Et je ne pense pas que j'y songerai jamais après aujourd'hui.

Le colonel a réfléchi un bon moment à ma réponse. Puis il s'est tourné vers le sergent Johnson.

— Johnson, vous et votre section ferez l'objet d'un rapport. Flanquez-moi Clancy sur sa selle et retournez au fort.

Le sergent a blêmi de fureur. Il a tourné les sabots quand le colonel s'est de nouveau adressé à moi.

— Comment vous appelez-vous, jeune homme?

— Simon, monsieur. Simon Green.

— Je vais le noter. Vous pouvez établir une requête en remboursement des biens que vous avez perdus au cours de cette échauffourée illicite. Envoyez-la au commandant en chef des forces armées à Washington. Mentionnez le lieu, à l'est de Fort Riley, dans le Kansas, et la date de l'événement. Je rédigerai de mon côté un rapport approprié.

— Oui, monsieur.

J'ai dit ça comme si j'allais vraiment le faire. Mais c'était hors de question. Je ne pouvais pas imaginer vivre assez vieux pour voir le jour où le gouvernement, de retour à Washington, se déciderait à payer au prix de Denver quelques dindes abattues par ses troupes de voyous. Pas quand ces troupes mettaient toute leur énergie à persécuter les civils et à chasser de leurs terres les Indiens.

— Oui, monsieur. Je ferai comme vous avez dit.

— Bravo. Utilisez toujours la voie hiérarchique, c'est la seule façon d'aboutir à ses fins.

Il a effleuré le bord de son chapeau en regardant d'abord M. Peece, puis moi.

— Où que vous alliez, je vous souhaite une fin de voyage sans incident.

Il a tiré sur ses rênes et, l'instant d'après, il avait disparu au galop de sa monture à travers la prairie verdoyante en direction du nord-ouest.

M. Peece a attendu jusqu'à ce que toute la section, colonel compris, soit hors de portée de nos voix. Puis il a ôté son chapeau et l'a jeté sur le sol.

— Bureau-crassie, il a craché. Suis bien content d'aller au plus profond d'l'Ouest. Espère m'y enfoncer assez loin pour n'plus jamais entend'parler du gouvern'ment.

La tête de Jabeth a soudain jailli d'une touffe d'herbe sèche.

— Ils sont partis? Ils sont tous partis?

Je me suis rué sur lui.

— Où étais-tu, Jabeth? J'aurais eu bien besoin d'un soutien moral. Sûr et certain, j'en avais bien besoin.

Il a baissé la tête pour la première fois depuis des jours et des jours.

— Excuse-moi, Simon. Mais la milice du Missouri, la milice proesclavagiste, mon ancien maître en faisait partie, tu comprends. Je peux dire que j'ai jamais apprécié les soldats. Non, je peux pas dire.

J'ai laissé tomber Jabeth et M. Peece qui était toujours juché sur le chariot pour inspecter mon troupeau. Ces sacrés dindons gloussaient à s'en péter les caroncules. Les dindes, qui ne gloussaient jamais, marquaient la mesure en claquant du bec. Toute la troupe tournait en rond, la tête agitée de soubresauts, aussi hagarde que quand elle était conduite par mon P'pa.

— Il faut calmer ces pauvres bêtes. Vous croyez qu'un bon souper de maïs y parviendrait?

M. Peece est enfin descendu du chariot. Il s'est étiré.

— Peut pas faire d'mal. C'qu'y a d'sûr, c'est qu'elles sont trop r'montées pour qu'on r'prenne la route. On en a perdu combien?

— Seulement une, il me semble. Mais je n'y ai pas encore regardé de près. Ça me désole, monsieur Peece, mais je crois bien que nous aurons de la dinde pour notre dîner.

M. Peece s'est penché pour consoler Emmett qui n'avait pas cessé de gémir à l'arrière du chariot où j'avais déposé la dinde morte.

— Allons, Emmett, je l'ai entendu murmurer à l'oreille du chien, tous les humains n'sont pas aussi malintentionnés qu'la plupart d'ceux que nous avons rencontrés dernièrement. Viens voir les ch'vaux et les mules.

J'ai répandu le maïs pendant que Jabeth plumait ma dinde défunte. Elle s'est révélée bien plus tendre que je ne m'y attendais après les kilomètres de marche qu'elle avait couverts depuis le Missouri. Et nous en avons eu à foison et nous nous sommes régalés du goût doux-amer de son sacrifice

Le matin suivant, nous avons aperçu de loin Fort Riley. C'était un ensemble de bâtiments blottis les uns contre les autres sur la rive septentrionale du Kansas. Aucun d'entre nous n'a eu la moindre envie d'aller inspecter de plus près le camp de l'armée. Nous l'avons vivement dépassé, puis nous sommes arrivés à l'endroit où la Smoky Hill's Fork se jette dans le Kansas. Nous étions vraiment soulagés de laisser derrière nous ce dernier vestige de la civilisation. En ce qui me concerne, je me fichais pas mal de ne plus rencontrer un seul bipède avant d'atteindre Denver.

## TREIZE

Cette Smoky Hill's Fork sinuait en une série de virages et de méandres qui nous ont occupés pendant près d'une semaine avant qu'elle ne se détortille un peu. Nous cheminions à travers une contrée vraiment sauvage et désertique où la piste était en grande partie effacée. On accumulait kilomètres sur kilomètres sous un soleil brûlant qui nous calcinait et qui calcinait aussi les hautes herbes ondoyant comme un océan au vent de la prairie. Moi, naturellement, je ne savais pas de quoi un océan avait l'air, mais M. Peece a affirmé un beau jour qu'il était né à deux pas de l'un d'entre eux.

— Ouais, ai passé ma p'tit'enfance au bord d'l'Atlantique, il a déclaré une fin d'après-midi où je marchais à côté du chariot, juste au moment où j'allais dire qu'on avait fait une assez longue étape pour aujourd'hui.

— Les vagues, elles affluaient et refluaient en longues ondulations, comme ces herbes. C'était au sud du New Jersey. Une fois qu't'avais dépasssé l'océan et les marais, la terre s'étalait plate à perte de vue. Comme par ici. Mais tu n'pouvais pas voir jusqu'au bout du monde. Comme par ici.

— Au bout du monde? J'avais jamais senti ça comme ça.

J'ai plissé les yeux pour fixer le soleil couchant. C'est alors que j'ai aperçu la petite bosse juste devant nous. Quelque chose qui émergeait à peine de l'herbe. J'ai remarqué en même temps un gros nuage noir qui avançait vers nous.

— Vous pensez qu'on aura de la pluie cette nuit?

Bidwell Peece s'est épongé le front.

— S'rait temps. Ça fait même longtemps qu'il s'rait plus que temps. Mais y a pas la moindre humidité dans l'air, fils.

Je me suis épongé le visage comme lui, bien que je n'en aie pas eu besoin. Tout était si archisec que l'air avait pompé toute ma sueur. J'étais tanné comme un bout de vieux cuir. Je suis retourné à mes dindes et nous sommes parvenus à deux ou trois cents mètres de ce monticule bizarre.

On l'aurait dépassé sans s'arrêter si ça n'avait pas été une cahute — une de ces petites bâtisses faites de mottes de terre et à demi enterrées. On l'aurait peut-être même dépassée en la croyant vide, si un genre de sauvage n'en avait pas jailli en poussant des cris d'orfraie, bras et jambes squelettiques fouettant l'air comme des fléaux, jupons flottant au vent.

Des jupons? Cette chose en haillons serait une femme? J'ai pilé.

– Pitié, elle criait. Ayez pitié de moi! Sauvez-moi de ce lieu maudit!

Tout le monde s'est arrêté, y compris les dindes, vu qu'elle s'est jetée pratiquement sous les roues du chariot. M. Peece a été obligé de tirer de toutes ses forces sur les rênes d'Étincelle et des autres mules.

– Holà mes tout beaux, holà, ho!

Et il a fixé d'un œil rond le petit corps écroulé à quelques centimètres de leurs sabots.

J'ai bondi en avant, et je l'ai fixé comme lui. La pauvre créature faisait peine à voir, avec ses longs cheveux défaits qui pendaient tout de guingois, ses jupons en lambeaux et la poussière de la prairie qui recouvrait chaque centimètre de son corps.

– Madame?

Je me suis penché pour la relever, mais elle s'est laissée aller dans mes bras, à demi morte. Je l'ai regardée de plus près. En fait, ça n'était pas une dame. Une demoiselle, plutôt. Sous la poussière grise et malgré ses joues hâves, elle avait le visage d'une toute jeune fille.

– Miss?

Son corps inerte a été secoué d'un soubresaut, ses paupières ont cligné spasmodiquement.

– Sauvez-moi, elle a murmuré. Sauvez mon corps et mon âme de la perdition.

J'ai jeté un coup d'œil à M. Peece. Il secouait tristement la tête.

– La folie d'la Prairie, fils. J'en ai entendu causer. Ça vous prend à force d'êt'ici sans avoir rien d'aut'à écouter qu'l'vent. Et puis j'dirais à la voir, un bon coup de fièvre en plus.

J'étais resté accroupi sur la piste, berçant dans mes bras le pauvre petit être.

– J'en fais quoi, dites?

M. Peece a fait grincer le siège du chariot.

– J'crois qu'nous avons couvert à peu près not'étape du jour, bien qu'j'aie eu espéré nous rapprocher un peu plus d'la prochaine boucle du fleuve, si peu profond qu'il soit. On dirait bien qu'on a perdu d'vue l'eau, pour l'moment.

Il nous a examinés une seconde, mon fardeau et moi.

– Bon. Emporte-la donc dans la maison. Doit bien y avoir un lit où tu pourras l'allonger.

Je l'ai regardé, épouvanté.

– Vous voulez que je m'en occupe tout seul?

– T'es un grand garçon, Simon. Dois être capable de t'en tirer. C'est pas comme si elle avait assez d'énergie pour t'mordre, il a dit en se fendant d'un sourire. Faut bien que quelqu'un s'occupe des animaux et du dîner.

Jabeth a surgi à ce moment-là.

— On s'arrête? J'ai rien attrapé qu'un lapin tout
décharné. N'empêche que ces fichus soldats men-
taient quand ils prétendaient avoir descendu tout le
gibier à cinquante kilomètres à la ronde.

Il a finalement remarqué la fille. Sa bouche s'est
ouverte toute grande.

— C'est quoi, c'que t'as là, Simon?

— Ça a l'air de quoi, hein? (Je me suis soudain
senti idiot, planté que j'étais au milieu de la piste
mangée d'herbe avec mon fardeau alangui dans mes
bras.) Tu ferais bien d'aider M. Peece à détacher les
mules, qu'il puisse mettre en train un bon bouillon de
lapin pour cette petite demoiselle.

La mâchoire de Jabeth a claqué, puis elle s'est rou-
verte.

— Pour sûr, Simon. Mais faut qu'on dégotte de
l'eau pour les dindes. Elles ont l'air encore plus assoif-
fées que d'habitude et...

Le hurlement suraigu du paquet d'os que je tenais
dans mes bras m'a quasi perforé les tympans.

— La colère de Dieu! La colère de Dieu s'abat sur
nous!

Un bras tremblant désignait le ciel.

Ma tête s'est dressée comme au bout d'un ressort.
Sûr et certain, le gros nuage noir nous fondait dessus.

— Ce n'est rien qu'un peu de pluie, miss. Il me

semble qu'un peu de pluie ne vous fera pas de mal.

— Noon, elle a gémi. Ils ne me laisseront pas partir. Ils s'agrippent à moi, tous autant qu'ils sont. Ils me tirent du fond de la terre.

J'ai secoué la tête en regardant M. Peece. Il a fait de même.

— La folie d'la Prairie, j'te dis, il a murmuré pendant qu'elle continuait à délirer tout haut.

— Le Seigneur a ordonné : «Laissez partir mon peuple», mais ils n'ont pas obéi! Je fais partie de Son peuple. Je Lui appartiens! Dites-moi que je Lui appartiens!

— Sûr et certain, j'ai commencé, mais elle ne m'écoutait pas.

— Il leur a envoyé un avertissement. «J'enverrai les sauterelles s'abattre sur ton pays. Et elles couvriront si bien la face de la terre que personne ne pourra plus la voir, et elles empliront tes demeures et les demeures de tous tes serviteurs et de tous les Égyptiens.»

— Les Égyptiens? j'ai bafouillé en regardant à nouveau M. Peece. Je ne comprends pas bien ce que...

— Elle cite la Bible. Un passage du Livre de l'Exode, Jabeth est intervenu. Je connais bien ce passage, vu qu'il tourne autour de la libération de l'esclavage. Les sauterelles, c'est le fléau qui s'abat juste après que la grêle n'a pas marché et juste avant que le fils aîné de chaque famille soit tué, et...

Un nouveau hurlement a coupé net l'explication de Jabeth. Nous avons tous suivi du regard la main tremblante de la folle qui se tendait à nouveau vers le ciel.

— Elle n'est peut-être pas si folle que ça, j'ai risqué après avoir vu ce qu'elle voyait. Ce gros nuage noir au-dessus de nous n'est pas un nuage de pluie. Les nuages de pluie ne bourdonnent jamais. J'ai bien peur que ça soit un nuage de...

— De sauterelles!

C'était au tour de Jabeth de hurler en commençant à se taper sur tout le corps comme s'il était devenu fou, lui aussi. En moins d'une seconde, j'ai laissé glisser mon fardeau et je me suis mis à me taper dessus comme Jabeth. Le nuage nous était tombé sur la tête et il avait éclaté en centaines, en milliers, en millions de sauterelles qui atterrissaient sur tout ce qui était en vue. Et leurs mandibules grinçaient, prêtes à mordre dans tout ce qu'elles trouveraient. Absolument tout.

Les mules poussaient des braiments torturés. J'ai essayé de garder les yeux ouverts assez longtemps pour voir ce qu'il en advenait de mes dindes. Est-ce que ça serait leur fin, notre fin à tous?

— Nom d'un pétard!

Après avoir lâché ça, j'ai dû plaquer ma main sur ma bouche. Il s'en était fallu d'un rien que j'avale une pleine bouchée des insectes les plus gros et les plus hideux sur lesquels j'aie jamais jeté les yeux. Mais l'envie de rire m'a quasi obligé à la rouvrir. Mes dindes n'étaient pas assaillies. Loin de là. Elles happaient ces bestioles comme si, de toute leur vie, elles n'avaient jamais rien mangé d'aussi délectable. Elles leur fonçaient dessus de tous côtés, picorant, avalant, picorant comme si elles n'en auraient jamais leur content.

J'ai ramassé la fille une fois de plus et je l'ai transportée au milieu du troupeau. M. Peece et Jabeth ont compris et m'ont suivi. On s'est juste assis là en se couvrant la tête et on a attendu que mes dindes sauvent ce qu'elles pourraient sauver.

Le crépuscule est tombé avant que cesse le grincement régulier des mandibules de ces sauterelles. C'est le calme, le silence impressionnant et soudain qui m'a fait abaisser le bouclier de mes bras et ouvrir les yeux. La petite demoiselle avait fini par s'endormir, la tête sur mes genoux. Je l'avais protégée tout le temps, à moitié consciente de la situation, tant que nous étions entourés par les hordes du fléau de Dieu. J'ai laissé échapper un sifflement de délivrance et Jabeth et M. Peece sont à leur tour sortis de leur cocon. Emmett lui-même a abaissé ses pattes de devant qu'il avait rabattues sur ses yeux.

— Que je sois changé en..., a commencé M. Peece.

— Regardez-moi ces volailles! a coupé Jabeth, d'une voix émerveillée. J'ai toujours su, à chaque seconde je peux dire, qu'il y avait une bonne raison d'aimer les dindes!

Je me sentais fier comme un jeune papa en promenant mes yeux sur les ventres gonflés de mon troupeau. Il titubait encore plus que le jour du pari sur sa consommation d'eau. Mais cette fois-ci, c'était presque un millier de volailles prêtes à éclater qui vacillaient euphoriquement. Si les dindes pouvaient roter, nous aurions été soufflés tout droit jusqu'à notre Missouri natal, chariot compris.

Je me suis mis en quête des sauterelles. Il n'en restait rien que des petits tas bien nets de pattes noires et maigres. Ça devait être ce qu'il y avait de moins bon dans ces bêtes.

— Je ne crois pas qu'il faudra les conduire au fleuve, ce soir, j'ai commenté sans nécessité pendant que nous les observions se creuser leurs nids dans l'herbe sèche. Elles ont l'estomac trop plein pour avaler même une goutte d'eau.

M. Peece s'est mis péniblement debout.

— Nous avons toujours b'soin d'abreuver les chevaux et les mules. Mais la nuit tombe vite.

J'ai senti quelque chose bouger sur mes genoux. Je me suis rappelé la fille et j'ai baissé les yeux sur elle au moment où elle entrouvrait les siens.

— Le puits, elle a murmuré. Le puits derrière la maison contient de l'eau. Pas assez pour sauver la récolte de maïs. Mais assez pour vous.

M. Peece l'a regardée.

— On dirait qu'c'est l'moment d'r'ssortir not'baignoire en cuivre. Conviendra aussi bien à nos amis à quatre pattes que n'importe quel autre abreuvoir.

Les lèvres de la fille se sont refermées. Je l'ai reprise dans mes bras et je l'ai enfin transportée dans sa maison. Une fois dedans, j'ai souhaité ne pas l'avoir fait. D'abord, j'ai dû pratiquement me plier en deux en louchant dans la pénombre. Il y avait dans un coin une espèce de foyer où brûlaient quelques brindilles. À part ça, cette pièce minuscule ne contenait qu'une table et un banc de pierre sculptés d'un seul bloc, et un lit au ras du sol. Je l'ai déposée doucement sur le lit, j'ai rabattu sur elle une courtepointe pour la protéger du froid de la nuit qui commençait à s'insinuer, et j'ai quitté au plus vite cet endroit lugubre. M. Peece m'attendait dehors.

— Vous avez trouvé le puits ?

— Pas encore, Simon. Mais j'ai trouvé aut'chose.

Il s'est dirigé vers une rangée de monticules surmontés chacun d'une croix de bois. Je me suis approché et j'ai plissé les yeux pour tenter de lire ce qui était gravé dans le bois. Il y avait à peine assez de lumière pour tout déchiffrer.

«Mon Père», disait l'une, et «Ma Mère» la suivante. Puis il y avait les plus petites: «Mon Frère Tom», «Mon Frère John», «Ma Sœur Sarah», «Bébé Ada».

J'ai fourragé dans mes cheveux.

— On dirait bien qu'il est tombé ici quelque chose de pire qu'une nuée de sauterelles. On dirait bien que cette pauvre gosse a eu une bonne raison de contracter la Folie de la Prairie.

M. Peece a passé son bras sur mes épaules.

— M'en a tout l'air, fils.

On est restés là jusqu'au moment où nous avons entendu braire nos mules. M. Peece a laissé retomber son bras.

— Ferais bien d'trouver c'puits.

Je me suis détourné des tombes.

— Et moi je ferais bien de m'occuper de la petite demoiselle. Par exemple de mettre la marmite sur les braises qui brûlent encore dans cette maison.

J'ai passé toute la nuit assis près de son lit. Je n'ai pas pu dormir. Je me suis contenté de m'appuyer au mur, avec ma couverture enroulée autour de moi, à écouter le vent souffler autour de la masure de terre battue. À écouter les souris et les autres créatures qui rampaient sur le sol et sur les murs crasseux. À respirer l'humidité qui suintait de partout malgré la sécheresse extérieure. À entendre le souffle léger et régulier du petit être qui avait avalé le bouillon de lapin dont nous l'avions nourri, puis avait aussitôt sombré dans le sommeil comme s'il n'avait pas dormi depuis un an.

De toute manière, je n'aurais jamais pu me reposer ici, obsédé par le vent qui faisait rage, et les fantômes de ces tombes à notre porte. Je me demandais comment toute sa famille avait pu s'y retrouver. Je me demandais pourquoi elle était venue sur cette terre désolée. Je me demandais comment je pourrais l'abandonner demain matin.

Je me suis finalement frotté les yeux quand les premiers timides rayons de l'aube ont filtré à travers les lézardes des murs. C'est alors que j'ai su que je ne pourrais pas le faire. Que je ne pourrais pas la laisser ici.

Je me suis tout de suite senti mieux, et je me suis tourné pour effleurer son bras.

— Vous êtes resté toute la nuit près de moi.

J'ai sursauté en l'entendant murmurer ça.

— Vous êtes réveillée?

— Oui. Depuis longtemps. Merci. Vous m'avez sauvée. Un jour de plus aurait été le dernier. Je le savais. Si le Seigneur ne m'avait pas rappelée, je serais allée Le rejoindre de moi-même.

Cela m'a fait frissonner de l'entendre parler comme ça.

— Voyons! C'est pas des choses à dire! C'est pas des choses à penser! (Il me fallait à tout prix changer de sujet.) Comment vous appelez-vous?

— Lizzie. Elizabeth Hardwick. La dernière de la famille. La dernière des Hardwick. Ils sont tous…, oui, chacun d'eux.

J'ai posé un doigt sur ses lèvres.

— Chut. Je sais. Je m'appelle Simon. Simon Green. Vous pouvez venir avec nous. Venir avec moi. Aussi loin que vous voudrez.

— Vous êtes l'ange le plus grand que j'aie jamais imaginé! elle a murmuré en refermant les yeux. Jailli du vent, triomphant du fléau des sauterelles, tellement immense, tellement fort.

Je me suis rengorgé en l'entendant, et je me suis cogné la tête contre le plafond bas de la cahute. Très fort. J'ai eu mal. Je me suis frotté le crâne. Moi, un ange! C'était la meilleure! J'ai quitté la pièce sombre et humide pour respirer l'air frais et pur du matin.

M. Peece était déjà debout. Il redonnait à boire aux mules.

— Je crois que nous avons une nouvelle bouche à nourrir, monsieur Peece.

Il a donné une bourrade amicale à Boule-de-Neige.

— Bien c'que j'pensais. Fais chauffer l'café, Simon. Sur l'feu qu'j'viens d'allumer.

J'ai eu envie de donner à ce petit bonhomme l'accolade qu'à la place j'ai donnée à l'un des mulets.

— Tout de suite, monsieur Peece. Tout de suite.

## QUATORZE

– Non. Je vous en prie. Laissez-moi tranquille!

Lizzie Hardwick serait partie de cette masure les mains vides si je n'y étais pas entré pour fureter partout. J'en suis ressorti avec un sac en tapisserie où j'avais fourré les vêtements que j'avais pu trouver plus un petit bol en grès et une cuillère, et avec aussi le couvre-pieds de la nuit dernière, vu que je savais que nous étions plutôt courts en couvertures. J'ai également emporté quelque chose d'autre, mais je l'ai enfoui dans le wagon au milieu du maïs, en attendant qu'elle aille assez bien pour affronter sa vue.

Jabeth et moi, on l'a installée sur le siège du chariot, à côté de M. Peece, et on a fait démarrer les dindes. Elles me semblaient un peu engourdies, ce matin. Je suppose qu'elles cuvaient toujours leur festin de sauterelles. Mais on s'est tous sentis mieux après quelques kilomètres, quand on n'a plus vu émerger de la terre la cahute que nous avions abandonnée.

L'après-midi, quand nous nous sommes arrêtés

pour camper, Lizzie semblait avoir un peu récupéré. Je l'ai portée avec Jabeth au bord de la Smoky Hill's Fork, et nous avons tous pris un bon bain pour nous laver de la poussière de la prairie et des sentiments macabres qui nous avaient si fortement imprégnés. Bien sûr, on ne s'est pas baignés tous ensemble. Après qu'on a eu pataugé tout notre soûl, Jabeth et moi, Lizzie s'est emparée de notre pain de savon et elle nous a renvoyés au camp. Quand elle y est revenue, j'ai eu du mal à croire que c'était la même fille.

Elle était toujours squelettique, toujours en guenilles, certes, mais maintenant on voyait la couleur de ses cheveux. Et aussi celle de ses yeux. Ses cheveux étaient du même brun brillant que la robe de nos chevaux, et le soleil couchant y allumait des reflets roux. Ils lui dégringolaient en boucles épaisses jusqu'à la taille. Et ses yeux étaient du même bleu sombre que l'océan tel que je l'imagine. Elle souriait, en plus. Elle me souriait.

Elle m'a rendu le savon humide.

– Merci, Simon. Merci de vous être arrêtés pour vous occuper de moi quand vous aviez à vous soucier de toutes vos dindes, elle a dit en laissant ses yeux errer sur le troupeau qui nidifiait pour la nuit. Vos surprenantes dindes que vous avez guidées si loin de leur foyer... Merci pour tout. Encore merci.

J'ai à peine compris ce qu'elle disait tant j'étais

estomaqué par l'effet de ce bout de savon. Elle était devenue rudement bien. Une parfaite petite dame. Elle parlait même comme Miss Rogers, et pourtant elle ne devait pas être plus vieille que Jabeth et moi.

— Y a pas… (Je bégayais tant que je me suis arrêté. Puis j'ai repris :) Y a pas à me remercier de quoi que ce soit, Miss Lizzie.

— Lizzie tout court, Simon.

— D'accord, Miss Lizzie, je veux dire…

Jabeth a surgi à ce moment-là.

— Tu ne sais pas ce que tu veux dire, Simon. T'as la langue tellement nouée. (Il a souri à Lizzie.) Maintenant que t'es là, ma fille, faut qu'on découvre ton talent. Chacun ici doit avoir un talent. Il doit contribuer à l'entreprise de Simon dans la mesure de ses moyens.

— Ferme-la, Jabeth !

Il m'a fait face.

— Ça ne serait pas le cas pour elle, juste parce que c'est une fille ? Peu importe ce que t'en penses, mais moi, je trouve pas ça juste.

— Mais c'est pas ça du tout. C'est seulement que… (J'ai pris un temps, en essayant de trouver une bonne raison. Et j'ai été vraiment content quand cette raison a fusé dans ma tête.) Qu'on doit lui donner un peu de temps pour s'acclimater.

— Moi, tu ne m'as pas donné de temps pour

m'acclimater. Non. Elle doit tout de suite mettre la main à la pâte.

— Cessez de parler de moi comme si je n'étais pas là. Arrêtez. Tous les deux! (Lizzie Hardwick nous foudroyait de ses yeux si bleus.) Vous pensez que je suis toujours à moitié folle, hein?

— Eh ben! t'étais un peu, un peu étrange, hier, a commencé Jabeth.

— Et vous ne l'auriez pas été, vous autres, si vous aviez dû enterrer votre famille entière de vos propres mains? Bébé Ada, elle s'est accrochée jusqu'au dernier moment. Tout ce qui me maintenait en vie, c'était mon besoin de veiller sur elle.

Son visage s'est crispé, comme pour retenir ses larmes.

— Vous n'avez pas à nous expliquer tout ça, je l'ai interrompue précipitamment. Vous n'avez rien à nous expliquer. Je sais quelle épreuve ça a dû être.

— Non!

Son visage s'est décrispé, ses yeux si bleus sont devenus d'un gris d'acier. Ils lançaient des éclairs.

— Non. Vous ne savez pas. Vous ne saurez jamais à quel point ça été abominable. Personne ne peut le savoir. Hier matin, quand j'ai aplati la dernière pelletée de terre sur bébé Ada, quand j'ai jeté la pelle, j'ai su que c'était le pire moment des seize ans que j'avais passés en ce monde, j'ai su qu'il ne pourrait jamais rien se passer de pire. Rien de meilleur non plus. Il ne restait plus rien. Rien qu'un immense gouffre.

J'ai cessé de faire vraiment attention à ce qu'elle a dit après qu'elle a mentionné le chiffre seize. Son âge. Seize ans. Mon cœur a pour ainsi dire sombré dans son propre gouffre, quel qu'il soit. Un mot drôlement évocateur, de toute façon. Elle avait seize ans. Elle était plus vieille que moi. Aucune femme plus vieille que moi ne jetterait un second coup d'œil à un Simon Green de quinze ans, ange ou pas. Mes espoirs à vau-l'eau, j'ai tourné les talons en laissant les condoléances à ce Jabeth qui se permettait de la tutoyer.

J'étais en train de me calmer les nerfs en donnant un bain à Étincelle, quand M. Peece s'est pointé au bord du fleuve.

— Croyais qu'j'étais responsable du bétail à quat'pattes, Simon.

— Vous l'êtes, j'ai grommelé.

— Alors pourquoi t'arraches la moitié d'la robe d'Étincelle en la frottant avec un pain d'soude caustique qu'a jamais convenu aux mules?

— Hein?

Le pain m'a glissé des mains. Ça m'a permis d'entrer dans l'eau qui m'arrivait aux genoux et de me pencher pour remettre le doigt dessus. Quand je me suis relevé, M. Peece avait déjà répandu un seau

d'eau sur mon ouvrage. Il y avait une plaque chauve
là où j'avais frotté plus longtemps sûrement que je ne
me le rappelais.

— Oh! j'ai dit.

— Oh! a répété en écho M. Peece. (Il m'a dévisagé, puis il a versé un autre seau d'eau sur l'échine
d'Étincelle.) Si t'as besoin d'exprimer ton mécontent'ment, fils, essaie d'pas l'exprimer sur le bétail. Et
puisque t'as encore d'l'énergie d'reste après une
pleine journée d'marche, va t'balader dans les hautes
herbes et tâche d'y trouver que'qu'chose à brûler. On
n'a pas vu un seul arbre sur des centaines de kilomètres, et faudra bientôt débiter le chariot en p'tit
bois si vous voulez des r'pas chauds.

— Oh! j'ai redit.

Je n'avais pas pensé un seul instant aux repas. Ni à
Étincelle, d'ailleurs, pendant que je lui donnais ce
bain épilatoire. Je n'avais qu'une seule chose en tête:
Lizzie Hardwick. Cette Lizzie Hardwick de seize ans.
Comme, en dépit de sa maigreur, elle avait la vraie
élégance dont parlait Miss Rogers. Comme elle s'était
comportée en vraie dame face à Jabeth et moi quand
elle s'était mise en colère. Comme elle allait être
courtisée par tous les chercheurs d'or célibataires qui
doivent grouiller dans une ville comme Denver en
attendant que nous les régalions de nos dindes.

— Simon?

J'ai sursauté.

– Quoi, monsieur Peece ?

– T'as quelque chose en tête, fils ?

J'ai secoué le chef véhémentement.

– Non, monsieur. Pas moi. Il n'y a rien, rien du tout dans la tête de Simon le Simplet. Il n'y a jamais rien eu, il ne peut rien y avoir.

– Fils, il a dit en cessant d'asperger Étincelle et en fronçant les sourcils. Fils, les oiseaux et les abeilles n'sont pas un exemple *ad hoc*. Plus à ton âge. Tu veux veiller sur…

– Je ne veux veiller sur rien ni personne, monsieur Peece. De toute façon, personne ne fait attention à moi.

J'ai une fois de plus tourné les talons et je me suis éloigné à grands pas. Pourquoi quelqu'un ferait-il attention à moi ? Pourquoi n'importe quelle personne du sexe féminin ferait-elle attention à un gros grand lourdaud bafouilleur et stupide, trop tôt monté en graine ? Je me suis frayé mon chemin dans l'herbe pour trouver quelque chose à brûler juste un peu plus fort que ce qui brûlait en moi.

La semaine suivante, le voyage a été plutôt dur. Cette fois, ça n'avait rien à voir avec de nouveaux bipèdes, vu qu'on n'en a croisé aucun. Cela n'avait rien à voir avec la piste, qui se poursuivait bien gentiment à travers un genre de désert croûteux moitié herbe et moitié sauge. Cela n'avait rien à voir non plus avec mes volailles. Elles allaient très bien. Quand elles paraissaient ne pas avoir trouvé assez à manger entre la sauge et l'herbe desséchées, on piochait dans le maïs, et ça les maintenait fraîches et gaillardes. En fait, on leur en a tant donné que le niveau de maïs a drôlement baissé dans le chariot. Naturellement, ça allégeait d'autant le travail de mes mules qui en étaient ravies. Ça nous a aussi réservé quelques surprises.

— Monsieur Peece, je l'ai appelé tard, un soir après avoir déchargé le grain qui allait nourrir mon troupeau.

— Oui, Simon? il a dit en trottant vers moi.

— C'est quoi, ces outils qui commencent à pointer au milieu du maïs?

M. Peece a eu l'air gêné.

— Eh ben, fils...

— Eh ben, quoi? Vous saviez qu'en quittant le Missouri, je n'avais pas de quoi nous payer des outils. Alors d'où vient cette charrue? j'ai fait en tapant sur le soc en fer qui émergeait du tas de céréales. D'où vient cette pelle? Quand j'ai sauté au fond du chariot pour y prendre du maïs (je me suis frotté l'arrière-train en lui lançant un regard accusateur), elle a bien failli me blesser sérieusement là où je m'y attendais le moins! (Bidwell Peece a passé ses doigts calleux sur ses lèvres. Si je l'avais moins bien connu, j'aurais pu croire qu'il dissimulait un sourire.) Alors? j'ai insisté. Y a rien d'autre là-dedans dont vous devriez m'aviser? Pour ma sécurité?

— Simon, Simon, M. Peece a murmuré en secouant la tête. C'qu'y a avec toi c'est qu'tu vois tout en blanc ou tout en noir dans cette vie, et...

— Ça veut dire quoi, ça? j'ai aboyé.

Faut dire que tout ça commençait à me mettre de mauvais poil. Et je m'étais senti d'assez mauvais poil toute la semaine.

— T'as été tell'ment absorbé par Lizzie.

— J'ai pas du tout été absorbé par Lizzie, j'ai hurlé. (Et puis j'ai baissé le ton en jetant un rapide coup d'œil tout autour de nous pour m'assurer qu'elle n'était pas à portée de voix.) Je vous ai posé une question claire et polie, monsieur Peece. J'aimerais que vous me répondiez de même.

— Simon, il a dit en posant la main sur mon bras, tous les habitants d'c'te cahute étaient morts. Là où ils reposaient, ils avaient plus besoin de leurs outils. Nous, si. Pour commencer une nouvelle vie à Denver ou ailleurs. Et ce s'ra sans doute difficile de s'en procurer dans un pays où on défend pas la terre pour semer du grain mais pour récolter de l'or.

— Vous voulez dire...

— J'veux dire qu'j'ai emprunté c'que l'Seigneur avait laissé là pour que nous l'prenions. Quelques selles et harnais supplémentaires, quelques outils.

— Mais ils appartiennent à Lizzie. Et elle ne voulait pas qu'on y touche. Absolument pas!

Il m'a tapoté le bras.

— Ils appartiendront toujours à Lizzie, dans l'Ouest où nous allons, Simon. Dis-toi qu'c'est comme une dot.

— Pour un vaurien hirsute et barbu assez vieux pour être son père? j'ai glapi, en cognant sur le soc.

J'étais bien décidé à l'arracher du maïs, à le jeter au milieu des armoises. Que les vautours, les coyotes et les loups que nous avions commencé à entendre et à entrevoir en fasse leur profit! Qu'il rouille et tombe en poussière quand la pluie finira par arroser cette terre desséchée!

— Qu'est-ce que vous avez à vous chamailler? a demandé Jabeth, qui s'était approché en douce. Je ne vous avais encore jamais entendus vous bagarrer.

— On ne se bagarre pas, j'ai rugi.

Jabeth a reculé hors de portée de mes rugissements.

— Bien sûr, Simon. T'es aussi placide et d'humeur égale que je t'ai toujours vu. Tu l'as été toute la semaine. En fait, tu l'es depuis qu'on a emmené Lizzie loin de sa cahute.

– Ça n'a rien à voir avec Lizzie, j'ai grondé en le bousculant pour passer. Rien du tout.

Finalement, Lizzie a manifesté quelques talents. Elle s'est mise à faire du thé pour tout le monde avec des herbes et des plantes qu'elle avait cueillies le long de la route. C'était une boisson apaisante, et nous avions de la chance de l'avoir à présent que notre réserve de café semblait s'être épuisée sans qu'on s'en soit rendu compte. Il y avait aussi les bizarres mottes de gazon qu'elle avait mises à sécher tout autour et sur presque tout le châssis du chariot. Elles provenaient d'un bout de terre marécageuse à côté duquel nous avions campé sans même nous en rendre compte, comme pour la disparition du café. Lizzie l'avait remarqué l'après-midi où M. Peece et moi avions eu des mots. Elle était venue en parler, et elle avait remarqué aussi le soc qui émergeait du maïs, et la pelle à côté.

– Quelle bonne idée vous avez eue, monsieur Peece! elle s'est exclamée.

Elle a dit ça exactement comme je vous le dis. J'étais juste derrière, en train de bouder dans l'herbe. J'ai attrapé sa phrase au vol. Et la suivante aussi.

– Comme c'est intelligent et sage d'avoir sauvé les outils de mon père! Il aurait été si heureux qu'ils ne soient pas totalement perdus après le mal qu'il s'était donné pour les apporter dans l'Ouest! (Puis elle s'est tournée vers le bout de marécage.) Et la pelle arrive juste à point pour déterrer un peu de cette tourbe qui nous servira à faire cuire nos repas.

— D'la tourbe? a questionné M. Peece en repoussant d'un air intrigué son chapeau sur sa nuque.

— C'est un combustible excellent. Qui dégage un peu de fumée, mais qui est presque aussi efficace que la bouse de bison. (J'ai écarté les hautes herbes qui me cachaient, et regardé à travers sans me faire voir. Lizzie avait une si jolie façon d'expliquer les choses.) Et comme les bouses de bison ne sont pas fréquentes par ici, elle a continué en allant vers le chariot où elle a tenté d'attraper la pelle, je crois que je vais déterrer un peu de tourbe. Après quelques jours de cette chaleur sèche et de ce vent, elle sera parfaitement utilisable.

J'ai bondi hors de ma cachette.

— Laissez-moi faire, Lizzie. Montrez-moi seulement où creuser. Il n'est pas question que vous vous esquintiez les mains. C'est absolument hors de question!

— Simon! (Elle m'a toisé en fronçant les sourcils.) Vous ne me laissez pas guider les dindes. Vous ne me laissez pas aider à installer le camp. À quel point exactement me croyez-vous fragile? À quel point exactement est-on fragile quand on a soigné six mourants?

Quand on a abattu la dernière de ses bêtes pour essayer de garder un peu plus longtemps en vie ses parents au moment où il ne restait plus rien d'autre à manger?

Je lui ai arraché la pelle.

— Vous faites votre part en cueillant vos plantes et en raccommodant tous les habits que vous trouvez.

— Avec la trousse de couture que je n'aurais plus si vous n'aviez pas eu le bon sens de la glisser dans mon sac en tapisserie, Simon.

Elle s'est arrêtée. Je lisais sa frustration sur son visage, sur son corps soudain raidi.

— Quand au juste me permettrez-vous de me conduire encore en être humain? Quand cesserez-vous de me protéger?

J'ai failli cracher «jamais», mais j'ai réussi à rattraper le mot à temps.

— Vous avez des idées, Lizzie. Des idées que je n'aurai jamais, je le sais. C'est très précieux. Cette histoire de tourbe, par exemple. Apprenez-moi donc à la ramasser.

Lizzie a regardé M. Peece. Je l'ai vue hausser les épaules. Et puis elle m'a montré comment déterrer la tourbe.

## Quinze

La Smoky Hill's Fork a fini par se tarir et disparaître dans son lit de cailloux archisec. Nous avons dû tenter notre chance en suivant la piste de fortune tracée il y a quelques années par les chercheurs d'or qui venaient forer dans le Pike's Peak ou le Bust. Et nous avons bien fait, puisque nous avons croisé un autre ruisseau, le Big Sandy Creek, après environ une demi-journée de marche. Là, le terrain a commencé à changer : de plat qu'il était, il s'est mis à onduler. Et à la fin de la journée suivante, nous avons découvert un nouveau paysage.

— Les voilà, nous a dit Bidwell Peece après avoir mis à pâturer les mules et les chevaux. (Il s'était adossé au chariot, et il contemplait l'Ouest.) Oui. Les voilà. Les monts étincelants. Les montagnes Rocheuses.

Jabeth et moi et Lizzie, on est venus l'un après l'autre à sa hauteur. Lizzie a pris soin de se mettre le plus loin possible de moi, de l'autre côté de Jabeth, comme elle faisait depuis l'histoire de la pelle et de la tourbe.

— Comme une barrière de brume mauve, Jabeth a opiné. Elles sont à combien d'ici, vous croyez, monsieur Peece, m'sieur?

Le charretier s'est gratté le menton.

— Dans les cent cinquant'kilomètres, à un poil près. On n'en a plus pour longtemps, maint'nant. Toutes choses égales d'ailleurs, on d'vrait arriver dans la s'maine à Denver.

Dans moins de huit jours!

J'ai jeté un coup d'œil à Lizzie. C'était trop court. Même en sachant que je n'avais aucun avenir avec elle, ça me réconfortait qu'elle ait décidé de me tutoyer depuis la tourbe, et que je lui dise «tu» en retour, et qu'on vive à proximité l'un de l'autre. Et ça, sûr et certain, ça, ça prendrait fin à Denver. Comme un tas d'autres choses.

Après, j'ai regardé M. Peece. Il filerait avec ses chevaux et son pourcentage pour commencer une nouvelle vie.

Puis j'ai tourné la tête vers Jabeth. Mon ami s'en irait également. D'ailleurs il n'était plus tout à fait le même depuis les sauterelles et la cahute. Il avait toujours l'air de prendre le parti de Lizzie, comme s'il la protégeait lui aussi.

J'ai à nouveau levé les yeux vers la masse de brume empourprée. Ces montagnes Rocheuses s'étiraient dans le ciel à perte de vue du sud au nord. Elles bornaient l'océan de terre plate que j'avais cru s'étendre à l'infini.

Mon regard est passé de l'horizon à mes dindes. Elles s'étaient déjà enfouies dans leurs nids pour la nuit et leurs plumes bronze se mariaient harmonieusement au soleil couchant. Elles avaient été de bons petits soldats tout du long. Les meilleurs. Je crois qu'elles auraient été contentes de marcher jusqu'en Chine si nous leur avions tenu compagnie, M. Peece et Emmett et moi. Qu'est-ce qui pouvait bien occuper leurs minuscules cervelles d'oison en ce moment, vous croyez? Pouvaient-elles se rappeler leur vol au-dessus du fleuve? Et les chameaux? Et le régiment de cavalerie? Et... l'idée suivante m'a fait rire.

— Pourquoi tu te marres, Simon? a demandé Jabeth.

— Qui, moi? Pour rien. Enfin pour pas grand-chose. Je me demandais combien de temps une dinde pouvait se rappeler le plus grand festin de sauterelles depuis la création du monde.

Jabeth a écarquillé les yeux pendant que j'y réfléchissais un peu plus.

— Elle s'en souviendra sans doute plus longtemps que ne pourrait le faire un paon. Je me disais que les dindes ne sont peut-être pas aussi stupides que le pensent les gars d'Union, Missouri.

M. Peece a gloussé.

— Aucun d'nous n'est aussi stupide qu'ils s'le figurent, Simon.

Et puis le soleil s'est évanoui au sein de cette brume pourpre et Jabeth et M. Peece ont tourné les talons. Moi, je me suis attardé un peu plus longtemps à contempler le paysage. Et Lizzie en a fait autant. Elle jouait avec la longue tresse qui emprisonnait ses beaux cheveux bruns. La tresse pendait sur son épaule. Et elle jouait avec, comme là-bas à Union, Miss Rogers avec sa mèche blonde.

— Je suis désolée que ça soit presque fini, Simon. J'espérais que nous aurions le temps de devenir des amis.

— Mais nous sommes des amis, Lizzie, j'ai protesté.

— Ce que je voulais dire, c'est...

Sa voix s'est perdue dans le lointain. Je me suis adossé au chariot. Je me sentais à nouveau tout empêtré de ma grande taille. Godiche. Emprunté. Je me demandais où caser mes pieds et que faire de mes grosses pattes. Elle n'a pas eu l'air de le remarquer. Elle continuait à fixer la crête de montagnes qui virait du pourpre au noir.

— Cette nuit, la nuit où tu es resté auprès de moi dans la cahute, tu te rappelles? (J'ai murmuré quelque chose d'incompréhensible. Ma gorge était tellement nouée que c'est tout ce qui a pu en sortir.) Tu étais mon sauveur, Simon. Mon chevalier dans sa brillante armure. Surgi de nulle part pour terrasser le dragon du désespoir.

— T'as dû lire un nombre de livres pas croyable dans ta vie, Lizzie, j'ai finalement réussi à croasser. Dans tes seize ans de vie. (Je me suis éclairci la gorge et j'ai articulé presque distinctement:) Ouais. Un nombre pas croyable, pour savoir ces choses. Et pour en parler si joliment.

— C'est vrai. Nous avions des livres. Avant que je les brûle pour faire du feu.

— Seize ans de livres, ça a dû faire pas mal de bûchers.

Elle m'a lancé un drôle de regard.

— Je n'ai pas commencé à en lire dès ma naissance, Simon.

— T'as quand même dû en lire pendant un bon peu de ces seize ans pour avoir la tête pleine de si jolis mots.

Lizzie a tapé du pied.

— Qu'est-ce que tu as à radoter avec ces «seize ans»? Si tu dis seize une fois de plus, je te... je te...

— T'as le droit de faire ce que tu veux, Lizzie. Et de dire ce que tu veux. Une jeune demoiselle de seize ans a des prérogatives que n'a pas un garçon de quinze.

Lizzie a poussé un hurlement de fureur si perçant que je me suis bouché les oreilles à deux mains pendant qu'elle me fonçait dessus.

— Tiens! En voilà une de prérogative. Cela te suffit? Ou tu veux que je me remette à hurler?

Jabeth a contourné le chariot et m'a surpris les bras encore en l'air.

— Qu'est-ce qui ne va pas, Lizzie? T'as vu un gros serpent, ou une chose de ce genre-là?

Lizzie a tiré nerveusement sur sa natte.

— Tout va bien. Va-t'en, Jabeth. (Elle a regardé son visage décomposé et s'est radoucie.) S'il te plaît. Je n'ai qu'une petite discussion privée avec Simon. (Jabeth s'est éclipsé et Lizzie a fait un pas de plus vers moi.) C'est ça que je dois supporter! De votre part à tous! Cette sollicitude! Cette façon de me traiter comme si j'étais une... une créature d'un autre monde juchée sur un piédestal. Et toi, Simon Green, toi, tu es le pire de tous. J'ai seize ans, et je veux être quelqu'un de normal. Je veux être traitée normalement! Je veux que tu me traites normalement!

J'étais en train de reculer aussi vite que je pouvais dans la prairie. Je me sentais tout drôle, brûlant et glacé en même temps.

— C'est pas possible, Lizzie!

— Et pourquoi n'est-ce pas possible, Simon Green? elle a glapi.

— Parce que… parce que…

J'ai trébuché sur une pierre et je me suis retrouvé sur mon arrière-train, jambes écartées, bras ballants, en plein milieu d'une plaque de terre craquelée par la sécheresse.

Je comprenais enfin le sens du mot «désespoir». Je me suis caché le visage dans les mains. Mais les mots ont jailli malgré moi de ma bouche. Je les avais renfoncés au fond de ma gorge depuis une éternité, il me semblait, et maintenant, je ne pouvais plus les retenir.

— Parce que je n'ai que quinze ans, Lizzie. Tu es plus âgée, toi, une femme plus âgée, et tu n'auras jamais rien à voir avec moi.

Voilà. Finalement, je l'avais dit. J'ai laissé retomber mes mains et j'ai observé Lizzie pour voir l'effet de ma confession. Le ciel s'était tellement obscurci que j'avais du mal à la dévisager. J'ai secoué la tête et je l'ai regardée encore plus attentivement. On aurait dit qu'elle venait d'être prise d'un genre de colique, à voir comme elle se courbait en deux, secouée de frissons, les bras serrés sur son ventre. Était-ce une rechute de sa fièvre? Ou un accès de choléra? Somme toute, elle ne nous avait jamais dit ce qui avait emporté toute sa famille.

Le choléra!

Ça ne pouvait être que ça. Et voilà la seule femme

que j'aie jamais aimée en train d'expirer sous mes yeux !

— Lizzie !

J'ai bondi pour l'enlacer, la consoler, lui permettre de mourir dans les bras de quelqu'un qui se souciait vraiment d'elle. Quelqu'un qui porterait son deuil pour toujours. Quelqu'un qui reviendrait chaque année planter des fleurs sur sa tombe, même dans ce désert aride et désolé.

Elle tremblait en effet quand j'ai posé les mains sur ses épaules. Mais ce n'était pas un accès de choléra. C'était un accès de fou rire.

— Simon Green ! elle a hoqueté.

Les larmes coulaient sur ses joues. Puis elle a éclaté d'un rire comme je n'en avais jamais entendu, un rire qui venait du plus profond d'elle-même. Elle avait dû le réprimer si longtemps qu'il lui faisait mal.

— Simon Green, grand idiot, comment peut-on être aussi empoté et ballot !

— Quoi, Lizzie ? Quelle maladresse j'ai faite ? Je te jure que je réussirai mieux la prochaine fois !

— Tu crois vraiment que quelques mois, ou même un an ont la moindre importance quand deux personnes éprouvent un sentiment l'une pour l'autre ?

J'ai laissé retomber mes mains et j'ai reculé devant cette salve de mots.

— Moquez-vous de moi tant que vous voudrez,

Miss Lizzie. Cela ne sera pas la première fois que ça m'arrive.

Elle s'est essuyé le visage avec sa manche. Elle avait de nouveau les larmes aux yeux.

– Je ne me moque pas de toi, espèce de... de cervelle de dinde!

Je suis resté cloué sur place. Une cervelle de dinde devait valoir nettement plus qu'une cervelle de paon. Il me fallait bien l'admettre : au point où j'en étais, et après toutes les expériences que j'avais vécues pendant cette grande marche des dindes, je faisais des progrès.

Elle s'est essuyé le visage pour la seconde fois.

– J'essaie de te dire que je t'aime bien, Simon. Beaucoup. Énormément.

Une petite aurore a commencé à poindre, lentement mais sûrement, bien que le soleil se soit tout juste couché.

– Tu veux dire que peu importe que tu aies seize ans... (Ces deux mots ont suffi pour que Lizzie recommence à hoqueter, mais j'ai enchaîné sans me laisser démonter :) Et que je n'en aie que quinze, et une cervelle de dinde, en plus de tout le reste?

Lizzie sanglotait, maintenant. J'ai attendu patiemment que ses sanglots s'apaisent. Il s'est passé un bon bout de temps avant qu'elle ne se tourne vers moi.

– Tu as plus de bon sens naturel et de bonté que

tous les gens que j'ai pu rencontrer avant toi pendant toute ma vie. Question d'âge mise à part. Tu me crois, Simon?

J'ai fourragé dans mes cheveux.

— Je suppose. Et c'est très aimable à toi de présenter les choses comme ça, mais...

— Simon, viens ici, Lizzie a ordonné.

Je me suis approché. Près. Tout près.

— Si tu me promets, si tu me promets solennellement, de me traiter comme une fille normale, tu peux m'embrasser.

J'ai avalé ma salive.

— Je te le promets, Lizzie. Croix de bois, croix de fer, et que le diable me patafiole si je manquais à ma parole.

— Parfait. Mais laissons le diable en dehors de tout ça. Là, Simon, elle a dit en montrant sa joue.

J'ai visé l'endroit qu'elle me désignait, mais j'ai toujours été un peu gauche. Est-ce ma faute si mes lèvres ont trouvé les siennes?

— Simon! Lizzie! (C'était la voix de M. Peece qui flottait au-dessus de notre baiser.) Votre dîner est prêt, il vous attend, et il est en train de geler, mes enfants!

## SEIZE

Nous avons fini par trouver Denver. Nous y sommes arrivés par le sud en suivant une autre rivière, la Cherry Creek. C'était pour ainsi dire le chemin des écoliers et comme nous nous rapprochions de plus en plus des montagnes, j'ai commencé à me tracasser pour mon entreprise : les Rocheuses montaient à l'assaut du ciel pratiquement au-dessus de nous, et nous n'avions encore croisé aucun des innombrables chariots auxquels je m'attendais. Je me suis mis à me demander si Denver était vraiment une cité en plein essor. J'ignorais alors que la ruée venait du nord, en partant de Saint Joseph, le long de la piste de l'Oregon et de la South Platte River.

Entre-temps, Emmett avait fini par être enchanté que, ces derniers jours, Lizzie marche en sa compagnie sur le flanc gauche du troupeau. Il avait pourtant mis plus longtemps à faire ami-ami avec elle qu'avec la plupart des gens. Il n'aboyait pas contre elle, ni ne grognait, non, rien de ce genre. C'était plutôt qu'il gardait ses distances. Il l'associait peut-être dans sa cervelle de chien avec ce fléau des sauterelles qui l'avait fait se tapir tout tremblant, à sa grande honte, dans cette prairie plate. Mais quand il a finalement conclu qu'on ne reverrait plus de sauterelles, il a mis toute son énergie à lui enseigner le métier.

– Emmett! j'ai entendu Lizzie ronchonner plus d'une fois. Tu n'as pas besoin de me sauter aux talons! Je peux voir aussi bien que toi que cette idiote de dinde s'écarte du troupeau!

Charger Lizzie de maintenir les dindes dans le droit chemin, c'était tenir en partie ma promesse de la traiter normalement et, de mon point de vue, c'était aussi un moindre mal. Jabeth, lui, quand il a compris que nous étions de nouveau en bons termes, elle et moi, il s'est mis en tête de lui apprendre à chasser. Je lui ai rivé son clou vite fait.

– Jamais de la vie, j'ai dit. (J'étais toujours le patron, non?)

– Mais pourquoi, Simon? La chasse, c'est un talent bien utile, et j'ai le sentiment que Lizzie se débrouillerait drôlement bien avec un fusil.

– Ça se peut, mais ça ne se fera pas. Bien que, j'ai ajouté en le foudroyant du regard, bien que ces jours-ci tu ne nous aies rien ramené de plus goûteux que des lièvres et un python. Je commence à être vraiment fatigué du civet de lièvre et du ragoût de python.

– Je ne peux tirer que le gibier qu'il y a, tu le sais

aussi bien que moi, il a protesté en regardant les pentes voisines d'un air dégoûté. Et y a rien d'autre, à part les coyotes, si ça te dit. La nuit dernière, ils se sont fait une de nos dindes.

— Quoi! Et tu ne m'en as pas parlé?

Jabeth s'est assombri.

— Ça me rendait malade, Simon. Tu comprends, j'étais là, emmitouflé dans mon sac de couchage en plein milieu des dindes qui dormaient dans leurs nids, et j'ai rien entendu. Même pas un hurlement. Rien du tout.

— Parce que tu n'entends jamais rien quand t'es emmitouflé dans ton sac, Jabeth. Toute une meute de loups ou de coyotes pourrait nous tomber dessus sans que tu bronches.

Je me suis arrêté. Pas la peine de remuer le fer dans la plaie. C'était déjà bien assez moche, cette perte, quand nous étions si près de Denver et du marché.

— Au fait, comment tu le sais?

— Ce matin, j'ai trouvé un nid vide. Avec quelques gouttes de sang autour. J'ai suivi les traces de sang dans l'herbe.

Il a sorti de sa poche une poignée de plumes.

— Tiens. C'est tout ce que cette sale bête en a laissé.

Je les ai prises, je les ai tenues au soleil. Elles étaient toujours du même joli vert bronze.

— On aurait peut-être intérêt à faire des tours de garde, cette nuit, j'ai dit.

— Ouais. On aurait peut-être intérêt.

Mais il s'est avéré que cette nuit-là, nous n'aurions pas à monter la garde contre les coyotes – en tout cas pas les coyotes à quatre pattes. Tout simplement parce que cette nuit-là nous sommes enfin parvenus à Denver. Tout au moins sur un plateau qui dominait la ville et d'où la Cherry Creek descendait en pente douce se jeter dans la South Platte River. Denver s'étalait sur ses deux rives. Et elle était déjà aussi étendue que Jefferson City!

Nous étions tous un peu ébahis en dressant, pour la dernière fois, notre campement. Voilà donc cette ville qui nous avait attirés de si loin, je me disais. Et nous l'avions tous atteinte sains et saufs, à quelques dindes près. M. Peece avait choisi un site sûr, pas loin de la ville, sur une hauteur, à quelques kilomètres à l'est des Rocheuses.

— À partir d'maint'nant, faudra rester sur nos gardes, Simon, il a dit en parcourant d'un œil d'aigle la prairie où nos dindes se nichaient.

— Pour pas nous faire rouler? j'ai demandé.

— Rouler, ou pire.

Il a pris son temps pour desseller les mules.

— Faut qu'on s'fasse une idée des habitants, qu'on

élabore une stratégie. S'passera pas longtemps avant qu'ils repèrent le troupeau.

Je me suis approché de lui et j'ai jeté un coup d'œil. Sûr et certain, des gars sortaient déjà de la ville, bouche bée, pour nous regarder. M. Peece les a remarqués, lui aussi. Et il a également remarqué cette expression avide que nous connaissions si bien.

— Jabeth, il a appelé. J'crois qu'il est temps d'déballer l'arsenal.

Jabeth n'a fait qu'un bond.

— Les fusils? Tout de suite, maître, monsieur Peece!


Quand je suis enfin allé flâner à Denver, j'ai été encore plus estomaqué de voir à quel point cette ville était une grande ville. Les rues délimitaient des pâtés de maisons bien carrés, bien nets, à proximité des deux cours d'eau qui y serpentaient. La nuit tombait vite et, comme il n'y avait pas le moindre réverbère, je me suis dépêché de poursuivre mon inspection tout au long des rues poussiéreuses.

J'ai d'abord pris First Street, qui partait d'un coude de la South Platte River, puis Front Street qui suivait la Cherry Creek. Il y avait un pont de bois pour le traverser. Il y avait aussi un bac pour passer sur l'autre rive de la Platte et deux églises — l'une méthodiste et l'autre épiscopale — et des rangées de maisons en bois, avec des enseignes peintes et de fausses façades pour faire plus d'effet.

Toutefois aucune de ces rues n'était pavée d'or, comme l'avait prétendu M. Buffey dans notre bon vieux Missouri. Ni même constellée de poussière d'or, que je n'aurais pu manquer de remarquer, même au crépuscule. En fait, ça ne m'a guère déçu. J'imaginais bien que l'or était plus vraisemblablement caché dans ces établissements aux fausses façades, ou encore entre les mains de leurs propriétaires. Personne, au Missouri, n'avait jamais vu de prospecteur rentrant au pays avec autre chose que quelques cals de plus sur les paumes.

J'ai noté les noms des divers marchands dont les mineurs étaient l'inépuisable mine d'or. Puis j'ai repéré une banque, un bureau du cadastre, le siège d'un journal et une société de messagerie, les Messageries centrales de Californie et de Pike's Peak. Il y avait un grand panneau affiché sur sa porte. Je n'en ai pas cru mes yeux quand j'y ai lu que ses diligences chargeaient à la fois des passagers et du courrier à destination et en provenance du Missouri chaque jour que le Bon Dieu fait!

Plus ou moins satisfait, j'ai négligé les saloons qui commençaient à s'animer pour la nuit et je suis rentré direct au campement. Je me faisais un peu de souci à me demander comment j'enverrais une lettre, et l'argent que je lui devais, à Miss Rogers quand j'aurais vendu mes volailles. Sans parler de ma dette envers l'Oncle Lucas, la Tante Maybelle et les cousins. Je n'avais guère pensé à eux depuis un bail. Je n'en avais pas eu besoin. Ils seraient bien épatés quand je les rembourserai comme je l'avais promis !

Mais les volailles n'étaient pas encore vendues. Loin de là. Il n'y avait pas de raison de mettre la charrue avant les bœufs. Pas avant que le marché soit conclu. Et, pendant que je rentrais, une idée, une vraie bonne idée a commencé à prendre forme dans ma cervelle de paon. Quelque chose que Lizzie pourrait m'aider à réaliser.

Le lendemain matin, après le petit déjeuner, j'ai envoyé M. Peece à Denver pour faire quelques achats et prendre quelques dispositions nécessaires, me semblait-il, à la mise en œuvre de mon idée. Et aussi pour tâter le terrain. Bidwell Peece n'était pas une cervelle d'oiseau, de quelque façon qu'on envisage les choses, et son opinion me serait précieuse pour conforter la mienne. J'ai aussi envoyé Lizzie avec lui. Elle était excitée comme une puce à l'idée de retrouver enfin la civilisation et je devais apprendre à lui faire tôt ou tard confiance hors de ma garde.

Entre-temps, il fallait s'occuper des dindes. Elles s'étaient levées de bonne heure et pleines d'allant comme d'habitude, et elles commençaient à regarder les montagnes toutes proches comme si ça devait être un jeu d'enfant de les escalader. Cela m'attristait un peu qu'elles ne puissent pas voir de près la neige au sommet des Rocheuses, où la Chine quelque part de l'autre côté. Mais pour le moment, il fallait les convaincre de rester ici pour prendre un petit peu de repos.

— Jabeth?

— Je suis là, Simon.

Enfin bon, il y était sans y être. Le thé d'herbes de Lizzie ne semblait guère l'avoir réveillé ce matin. Cela tenait peut-être au fait qu'il avait passé une bonne partie de la nuit à patrouiller autour du camp, son fusil préféré sous le bras, pour régler son compte à ce coyote de la nuit précédente. Il se cramponnait toujours à ce fusil, canon posé sur le sol. Il s'appuyait peut-être bien sur sa crosse comme sur une canne pour ne pas piquer du nez dans l'herbe.

— Tu ferais aussi bien de ranger ton arme, Jabeth. Il faut qu'on jette un peu de maïs aux dindes avant qu'elles décident d'escalader les monts.

— Quand c'est que j'irai voir Denver, Simon? Ça me presse autant que Lizzie, je te jure!

— Bientôt, j'ai promis. Très bientôt, j'espère.

M. Peece et Lizzie sont finalement revenus avec

une mesure de café frais en grains. M. Peece a posé respectueusement le petit paquet.

— T'as pas idée du prix des victuailles, ici! D'celui d'ces grains de café! À croire que c'est d'l'or!

Je n'ai pas trop fait attention à ce qu'il bougonnait. J'étais trop fasciné par la feuille de papier qui voletait entre les doigts de Lizzie.

— M. Peece a pensé que tu en voudrais un exemplaire, en souvenir, elle a fait en souriant. On en a distribué dans toutes les boutiques de la ville, et aussi dans la plupart des maisons, exactement comme tu le voulais, Simon. Attention à l'encre! Elle déteint encore!

— Trop tard.

J'ai fait passer sur mon pantalon la tache d'encre qui barbouillait mes doigts, puis j'ai souri.

— C'est drôlement bien tourné, Lizzie. Je savais que tu étais douée pour les mots.

— Il n'y a pas que mes mots, Simon. Il y a aussi les tiens.

— Mais ces prospectus, c'est ton idée à toi, depuis le début.

— Mais c'est toi qui savais que les journaux pourraient les imprimer, Simon.

— Qu'est-ce qu'il y a? Jabeth a demandé en jaillissant de l'arrière du chariot à l'ombre duquel il faisait un somme. Qu'est-ce que j'ai manqué?

– Rien que la dernière touche à notre voyage. Regarde, j'ai dit en lui brandissant la feuille de papier sous le nez. *Les Nouvelles des Rocheuses* ont de jolis caractères d'imprimerie, tu ne trouves pas?

Jabeth a froncé les sourcils.

– Je ne sais pas lire, Simon.

Je l'ai regardé, abasourdi.

– Tu ne sais pas lire? Mais je l'ignorais! Enfin, même moi je sais lire, Jabeth! Comment ça peut se faire?

– Ça se fait parce que personne ne m'a jamais appris, tiens! Tu crois qu'il y a de jolies petites écoles avec de jolies petites maîtresse d'école comme ta Miss Rogers pour les esclaves, dis?

– Mais tu n'es plus un esclave, Jabeth. Absolument plus.

– J'sais pas lire pour autant, non?

– Eh bien…

– Lis-lui maintenant, Lizzie a coupé, et je lui apprendrai à lire plus tard. Tu pourras m'aider.

Plus tard? Quel plus tard, je me suis demandé. Mais j'ai gardé ça pour moi.

– Je pourrai? Sûr et certain, je veux dire.

J'ai déplié le feuillet froissé. Je l'ai élevé à la hauteur de mes yeux. Je me suis éclairci la gorge. Par bonheur, je savais déjà ce qu'il disait, sans quoi ma performance aurait pu laisser à désirer.

# GRANDE VENTE AUX ENCHÈRES !

DEMAIN À MIDI SOUS LES REMPARTS
**LES DINDES FABULEUSES DE
LA FABULEUSE MARCHE DES DINDES !**

En droite ligne du Missouri, les dindes les plus belles,
les plus grasses, les plus tendres, sur lesquelles
vous ayez jamais jeté les yeux ou dans lesquelles vous
ayez jamais enfoncé les dents, sont arrivées à Denver !
Refusez toute contrefaçon.
Les dindes bronze sont les meilleures !

Les vendeurs n'acceptent pas les billets,
les actions ni les traites.
Ils n'acceptent que les pièces d'or.
*Simon Green*, propriétaire du troupeau

*Bidwell Peece*, actionnaire
*Jabeth Ballou* et *Elizabeth Hardwick*, assesseurs.

Le front de Jabeth s'est plissé.

— T'es vraiment chic d'avoir imprimé mon nom, Simon… Mais, dans tout ce vaste monde, c'est quoi un as-ses-seur?

Je me suis tourné vers Lizzie.

— Explique-lui. Ce mot-là, c'est ta contribution, comme le refus des billets et des actions ou traites est celle de M. Peece.

Lizzie a haussé les épaules.

— Un assesseur est quelqu'un qui aide tout du long à la bonne marche d'une affaire, Jabeth. Comme tu l'as fait en chassant et en nourrissant tout le monde du produit de ta chasse. J'ai dit à Simon que mon nom n'aurait pas dû figurer sur ce prospectus à côté du tien, alors que tu as été tellement plus utile que moi, mais il a insisté et…

Jabeth a balayé d'un geste gracieux la protestation de Lizzie.

— Aucune importance. On ne m'avait encore jamais traité d'as-ses-seur. C'est une drôle de façon de dire les choses. Ex-trê-me-ment impressionnante.

Il s'est secoué pour chasser les derniers vestiges du sommeil qui l'engourdissaient et il a retrouvé son bon vieil air désinvolte pour dire en tournant les talons:

— Peut-être que je vais filer nous as-ses-ser d'un pot de café moulu de frais.

M. Peece a souri de toutes ses quelques dents.

— Bonne idée, Jabeth. Et puis nous nous mettrons tous à compter nos dindes en vue d'la vente de d'main.

Je l'ai regardé. C'était la première fois de tout le voyage qu'il disait «nos dindes». Cela m'a fait plaisir que chacun se sente sincèrement concerné par mon entreprise. Quel dommage que ce soit le dernier chapitre de l'aventure! Quel dommage que nous nous apprêtions à nous disperser demain à midi comme mon troupeau!

## DIX-SEPT

Le matin suivant, mes dindes ont fait une entrée remarquée à Denver. On aurait dit la troupe de danseuses qui était venue une fois à Union. Elles levaient haut leurs pattes brunes aux ergots luisants et les reposaient en cadence, en inclinant toutes ensemble leurs petites têtes vermillon et en tournant de tous côtés leurs yeux brillants pour ne rien perdre du paysage, leurs caroncules tressautant d'excitation, glougloutantes et tintinnabulantes à tout va. J'étais si fier d'elles, avec leurs becs aigus et leur plumage étincelant au soleil, que moi aussi je dansais presque en les guidant.

Et pourquoi pas? Pourquoi n'aurions-nous pas été fiers, tous autant que nous étions? Les dindes accomplissaient leur destin de dindes. Peut-être finiraient-elles bientôt rôties, mais elles seraient les plus célèbres dindes rôties de toute l'histoire. Et moi, j'avais réussi mon entreprise. Je remarquais à peine les habitants de Denver qui se pressaient dans les rues et nous acclamaient comme si nous étions une parade – comme si nous étions importants – tellement j'étais pris par le spectacle que nous offrions.

Il y avait M. Peece, assis sur le siège du chariot, l'air hautain et déterminé, qui exhortait Étincelle et ses frères et sœur à danser une sorte de galop de mulets. Les chevaux arabes caracolaient derrière. Puis venaient les volailles, encadrées par Jabeth, Lizzie et Emmett, avec moi qui fermais la marche. Nous étions tous tirés à quatre épingles, dans ce que nous avions de mieux et de plus propres comme habits. Je me disais que nous avions drôlement bien mené notre barque jusqu'ici. Mais les meilleures choses ont une fin. Et la fin, elle était à portée de la main, à présent que nous arrivions à la grande place sous les remparts de la ville.

À partir de maintenant, le patron, c'était M. Peece. Il était autrement plus imposant que moi. Il a tout de suite pris, avec compétence, la situation en main. Il s'est levé de son siège pour faire face à la foule qui s'égaillait de tous côtés. Il a touché le bord de son chapeau.

– Je vous salue, mesdames et messieurs, bonnes gens de cette si belle et si dynamique cité de Denver.

Il a dû s'interrompre pendant un petit bout de temps, vu que la foule recommençait à l'acclamer à gorge déployée. Je ne voyais pas bien si c'était le terme «bonnes gens» ou la «belle et dynamique cité de Denver» qui déchaînait leur enthousiasme, mais tant qu'ils étaient contents, je l'étais aussi. M. Peece a finalement réussi à poursuivre.

– Comme vous l'avez probablement appris grâce aux prospectus imprimés par votre excellentissime journal *Les Nouvelles des Rocheuses*...

De nouvelles acclamations lui ont coupé la parole. M. Peece a dû agiter son chapeau pour ramener le calme.

– Bon. Comme ça, ou autrement, vous l'avez appris. Et nous voici, avec les volailles que nous vous promettions. Près d'un millier des plus belles dindes de ce continent, ou de tout autre continent. Convoyées à pied sur mille kilomètres uniquement pour faire vos délices. (Il s'est arrêté pour loucher sur le troupeau sous le soleil de midi.) Et dites-moi, bonnes gens, avez-vous jamais vu dans toute votre vie un troupeau aussi époustouflant de santé et de beauté?

Bien sûr que non! J'ai joint mes acclamations à celles de la foule. Il n'y avait jamais eu nulle part plus beau rassemblement de volailles!

Sûr et certain, M. Peece faisait un triomphe. Il en est enfin venu aux choses sérieuses.

– Je suis heureux que nous soyons d'accord. Maintenant, combien offrez-vous par tête de dinde? J'ouvre les enchères à quel prix?

– Un dollar pièce! quelqu'un a crié.

– Monsieur, Bidwell s'est exclamé d'un ton navré. Monsieur! Un simple dollar pour ces dindes qui ont franchi des fleuves innombrables, qui ont traversé de bout en bout l'immense, la fabuleuse Prairie américaine? Pour ces dindes qui ont tenu tête aux Indiens sauvages et à toute la cavalerie des États-Unis? Sans parler des voleurs de bétail! Non, monsieur, ces dindes sont porteuses d'une histoire. Quand vous mordrez dans une de ces dindes, vous savourerez en même temps l'épopée complète de la conquête de l'Ouest!

– Deux dollars, un autre a glapi.

La voix de M. Peece s'est faite méprisante.

– Quand j'ai payé hier, dans vos propres boutiques, deux dollars une mesure de grains de café? Allons, allons! Chacune de ces dindes représente trente ou quarante livres de chair succulente!

M. Peece a continué un bon moment sur ce ton. Comme il savait se montrer éloquent lorsqu'il renonçait à son accent du Sud! Le prix montait lentement. Très lentement. Par cinq ou par dix cents. Moi, tout ce temps-là, je restais debout sous le soleil, suant sang et eau et me demandant si mon idée de vente aux enchères était si astucieuse, après tout. Me demandant si je n'avais pas été un chouïa trop optimiste en estimant mes dindes à cinq dollars pièce. Suant davantage encore en songeant à ce qui se passerait si elles n'atteignaient pas ce prix, vu tous les pourcentages que j'avais promis à droite et à gauche. Et puis, finalement, quelqu'un a hurlé les mots magiques:

— Cinq dollars!

J'ai passé ma manche trempée sur mon front ruisselant. Enfin! J'ai fixé M. Peece pour qu'il dise «adjugé». Mais M. Peece s'est contenté de rester calé sur le siège du chariot, en agitant les bras et en continuant à baratiner la foule. Et voilà que le prix grimpe à cinq dollars vingt-cinq! Puis à cinq dollars cinquante! Je ne suis plus qu'une cataracte de sueur. Jusqu'où M. Peece veut-il monter?

— J'ai entendu cinq dollars cinquante. J'ai ici cinq dollars cinquante. (Il halète comme une locomotive à vapeur.) Qui dit cinq dollars soixante-quinze? Vous, monsieur? J'ai là cinq dollars soixante-quinze. L'enchère est à cinq dollars soixante-quinze. Qui offrira six dollars pièce pour les dindes les plus fantastiques de tout l'univers?

La foule s'est enfin tue. M. Peece a dévisagé tour à tour chacun des spectateurs. Il soupesait leur silence. Il a finalement aperçu un petit bonhomme assis sur le parapet qui bordait un pâté de maisons, au fond de la place, un bonhomme plus petit que M. Peece lui-même, qui s'était perché là pour se rehausser afin de voir par-dessus les têtes.

— Vous, monsieur! Amos Quinn, si je ne me trompe? Vous êtes bien le propriétaire de ce superbe magasin d'alimentation où j'ai acheté pas plus tard qu'hier matin ces excellents grains de café? Des grains qui valaient jusqu'au dernier cent le prix que je les ai payés?

Il a guetté le timide hochement de tête de Quinn pour reprendre d'un ton complice:

— Mais oui, c'est vous, bien sûr! Maintenant, réfléchissez, monsieur Amos Quinn. Réfléchissez à ce que vous pourrez gagner avec un troupeau de près d'un millier de dindes dans cette grande cité affamée de dindes qu'est Denver?

Le petit bonhomme a tiré sur le col qui serrait son cou squelettique. Il a avalé une ou deux fois sa salive. Puis il a émis, dans une sorte de coassement:

— Six dollars. C'est mon dernier prix.

— Adj...

M. Peece n'a pas eu la chance de finir d'articuler ce mot tout entier. Le mot qui conditionnait tout mon avenir. Tout bonnement parce que la diligence des Messageries centrales de Californie et de Pike's Peak, l'écume aux lèvres de ses chevaux, a choisi ce moment-là pour débouler en trombe dans la foule.

— C'est la diligence de Saint Joe! quelqu'un a crié.

— Mince! J'avais presque oublié qu'on l'attendait!

— Gare aux dindes!

Gare aux dindes, en effet. Dans un instant, mon troupeau allait se faire écrabouiller. Exterminer sous mes yeux. Il ne pouvait pas s'enfuir, ni encore moins s'envoler vu qu'il n'en avait pas la place, coincé qu'il était entre la foule et le chariot.

Comme je fermais la marche, j'ai fait la seule chose que je pouvais faire: affronter ces bêtes écumantes, sauter juste entre leurs harnais, m'agripper aux rênes et contraindre les chevaux de tête à piler net à un mètre de mes dindes affolées. Et puis j'ai foudroyé du regard le conducteur.

— Je tournais l'angle de cette rue comme toujours, mon gars, il a commencé à s'excuser. Je ne m'attendais pas à tomber sur une fête.

Pendant ce temps, la porte de la diligence s'était ouverte toute grande et quelqu'un avait sauté dehors. Un personnage que j'avais essayé de toutes mes forces d'oublier. Suivi par un autre que j'avais espéré ne plus jamais revoir.

— P'pa, j'ai haleté. Cleaver!

P'pa portait un chapeau, je crois bien. Il portait aussi un revolver, dont il a tiré un coup en l'air pour attirer l'attention. Bien qu'il n'en ait guère eu besoin, à mon avis. Puis il a soulevé son couvre-chef en un salut ironique.

J'avais décidé de ne plus jamais lui adresser la parole,

mais je n'ai pas pu m'en empêcher tant ce que j'ai vu m'a ahuri. P'pa était devenu chauve comme un œuf.

— C'qui est arrivé à tes beaux cheveux, P'pa?

— Scalpés! J'ai été scalpé! Ou à moins d'un doigt de l'être. Une aimable attention de tes pacifiques Indiens, avant que Cleaver et moi parvenions à nous échapper. Ils avaient un sens assez spécial de l'humour.

P'pa a enfoncé son chapeau sur sa tête rase et s'est frayé un passage au milieu des dindes en agitant son revolver:

— Écartez-vous! Je suis venu réclamer ces dindes qui m'appartiennent!

Cleaver, tondu comme un mouton lui aussi, le suivait. Il tenait deux revolvers, un dans chaque main.

— Toute négociation les concernant passe par nous!

— Mais..., j'ai bredouillé.

Je me suis tourné pour prendre à témoin les bonnes gens de Denver. Les mots ont soudain coulé de mes lèvres comme un torrent

— Ces types sont les voleurs de dindes qui nous ont suivis à la trace durant tout notre voyage! Ils ont déjà essayé par deux fois de voler mes dindes!

— C'est tout le contraire! Ce garçon est un menteur! a vociféré P'pa.

Des têtes hésitantes se tournaient vers les nouveaux venus, puis vers moi. Je restais là, immobile, accablé, le cœur plus serré qu'il ne l'avait jamais été.

Heureusement, les membres de mon équipe ont réagi plus lucidement. Emmett, le plus rapide, a abandonné son précieux troupeau le temps de sauter à la gorge de Cleaver et de lui mordre le nez.

Emmett avait trouvé une bonne prise et il s'y est accroché de toutes ses dents comme si sa vie en dépendait. Cleaver a dû laisser tomber ses armes pour essayer de le décrocher, mais ça n'a pas eu l'air de lui faire le moindre effet. Entre-temps, Jabeth et Lizzie avaient disparu à l'arrière du chariot. Ils en sont immédiatement ressortis en pointant chacun un fusil sur P'pa. La foule s'est lentement décidée à choisir son camp.

— Maman! Pourquoi ce vilain méchant homme bat-il ce pauvre petit chien?

— Je ne suis pas sûre de le savoir, Emily, mon trésor, mais je vais arrêter ça!

J'ai regardé la dame traverser mon troupeau et taper avec son ombrelle sur le crâne brillant de Cleaver. Cleaver est tombé par terre, Emmett toujours cramponné à son nez.

Nous étions tous face à face, les bonnes gens de la si belle et si dynamique cité de Denver nous observant les yeux écarquillés pendant que mes assesseurs braquaient fermement leurs armes sur P'pa et Cleaver. Et ça paraissait bien un nouveau préalable à un affrontement, jusqu'à ce que M. Peece cligne des yeux et prenne la parole.

– Eh bien! il a commencé en s'épongeant le front, eh bien! il me semble que nous vous devons quelques explications, bonnes gens. Mais nous devons avant tout vous fournir la preuve de notre entière bonne foi. Tout particulièrement à M. Amos Quinn ici présent, qui était sur le point d'acheter près d'un millier de dindes.

M. Peece regarda l'endroit où il avait vu M. Quinn pour la dernière fois.

Apparemment, le petit homme avait essayé d'échapper à ses engagements, puisqu'il était en train de ruer et de se débattre entre les mains de trois rustauds rigolards.

– Vous êtes toujours intéressé, monsieur Quinn?

Les rustauds ont souri jusqu'aux oreilles et l'ont secoué sans ménagement. Amos Quinn a réussi à articuler:

– Je veux une preuve. Un titre légal de propriété!

Bidwell Peece s'est tourné vers moi.

– Vas-y, fils. Remettons les pendules à l'heure.

Mes dindes et la foule m'ont ouvert le passage afin que je puisse grimper sur le siège du chariot. Une fois là, je me suis assis et j'ai méthodiquement délacé et enlevé ma botte droite. J'ai soulevé son revers, et j'ai tâtonné dessous en priant le ciel que ce que je cherchais y soit toujours. Il y était toujours. J'ai relevé la tête.

— Je le tiens, monsieur Peece.

Mes doigts ont décoincé et apporté au jour un petit carré de papier assez malodorant. J'ai déplié un à un ses côtés pour lui donner la taille d'une feuille normale. L'encre était un peu passée, mais, Dieu merci, l'écriture était toujours lisible. J'ai déchiffré lentement, en articulant bien :

— Vendu à Simon Green, le 15 juin 1860, mille dindes bronze.

J'ai alors regardé de tous mes yeux la cohue qui écoutait de toutes ses oreilles :

— Signé : Uriah Buffey, d'Union, Missouri.

Puis je me suis tourné vers M. Peece.

— C'est Miss Rogers qui a dicté ça à M. Buffey. Sûr et certain qu'elle connaissait son affaire, pour une maîtresse d'école.

M. Peece m'a tapoté l'épaule.

— Sûr et certain, fils !

Et, clignant des yeux pour distinguer Amos Quinn dans la foule, il a ajouté :

— Cela vous suffit-il, monsieur ?

M. Quinn a hoché à nouveau la tête, plus fermement cette fois.

— Parfait ! a crié Bidwell Peece. Adjugé !

Son feutre noir presque neuf s'est écrasé dans la poussière de la place.

— Vendu à M. Amos Quinn, propriétaire du

Grand Bazar Quinn, près d'un millier de dindes bronze au prix de six dollars la tête!

Il y a eu un moment de silence respectueux suivi des acclamations les plus tonitruantes que j'aie jamais entendues de ma vie. Quoi qu'il en soit, j'ai à peine remarqué que la foule joyeuse traînait de force P'pa et Cleaver vers la prison de Denver pour trouble de l'ordre public, en laissant Emmett se lécher les côtes. Je me suis penché hors du chariot, et j'ai sauté en plein milieu de mon troupeau glapissant.

Moi, Simon Green, j'étais un homme riche.

Nous avons regagné en tout début de soirée notre campement au-dessus de Denver. Il était nettement plus tranquille qu'avec un presque millier de dindes tourneboulant l'herbe pour y faire leurs nids. Mais pas tant que ça. Emmett a trottiné çà et là avant de sauter sur mes genoux. Je l'ai gratté où il aimait.

— Pas d'doute, Simon, l'est venu t'dire merci.

J'ai levé les yeux vers M. Peece.

— Comment vous expliquez ça?

— T'as bien vu qu'il est d'venu presque fou quand Amos Quinn a rassemblé les dindes pour les emmener. C'était vraiment gentil d'en conserver que'ques-unes pour qu'il les garde.

J'ai continué à gratter la tête d'Emmett. À ce

moment-là, j'avais un peu pensé à lui, c'est vrai, mais j'avais aussi pensé à moi. À la façon dont on s'était toujours entendus, les dindes et moi. Cela m'avait tout d'un coup paru honteux de mettre totalement fin à cette bonne entente.

— Je n'ai gardé que trois dindons et trente dindes, monsieur Peece. Et je ne sais pas combien de temps Emmett jouera les chiens de berger.

Bidwell Peece était accoudé près du feu dans son sac de couchage. En face de lui, Lizzie finissait d'astiquer les plats. Elle s'y était mise avec une belle ardeur juste après que je lui ai donné le daguerréotype de ses parents en mariés que j'avais planqué dans le maïs en vue de cette dernière soirée ensemble. Jabeth, vautré à côté de moi, soufflait doucement dans la flûte qu'il s'était fabriquée. C'était une scène paisible, où, tout en suivant ses propres pensées, chacun se sentait en harmonie avec tous les autres.

— Ta phrase sur les chiens d'berger, M. Peece a dit en ôtant son chapeau et en le posant près de lui pour la nuit, ça veut dire quoi, Simon?

J'ai respiré un bon coup et exhalé lentement mon souffle.

— Ça veut dire que nous avons partagé loyalement entre nous tous l'argent de la vente après avoir mis de côté la part de Miss Rogers. Vous avez touché le pourcentage qui vous avait décidé à vous embarquer avec moi dans cette longue expédition, et aussi les deux chevaux arabes.

— Et? M. Peece a fait avec son plus bel accent du Sud.

— Et ça veut dire que, le matin venu, vous partirez pour entamer votre nouvelle vie. Comme vous projetiez de le faire.

J'ai parcouru des yeux le cercle que nous formions autour du feu.

— Et Jabeth, il sera libre. Plus libre que jamais pour commencer sa nouvelle vie à lui.

Je me suis arrêté au visage de Lizzie. Comme je l'ai déjà dit, nous avions été en bons termes pendant les cent derniers kilomètres. Mais il n'y avait plus jamais eu de rencontre derrière le chariot. Si bien que nous n'avions jamais discuté de son avenir ni du nôtre.

— Et Lizzie souhaite probablement s'installer à Denver, pour y retrouver la civilisation.

— Pourquoi ne laisses-tu pas Lizzie s'exprimer en son propre nom? elle a soudain lancé, les yeux brillants de colère.

— Et moi de même, fils, tant qu'on y est.

M. Peece a étendu une main derrière sa tête. Il a soulevé le sac de pièces d'or qui représentait sa part de la grande marche des dindes. Et puis il me l'a jeté.

— C'est quoi? j'ai demandé en l'attrapant au vol.

Mais je m'en doutais.

— Ma part d'ta nouvelle entreprise, Simon. Si tu veux bien d'un vieux croûton comme moi.

J'ai écarquillé les yeux dans l'obscurité.

— Vous voulez dire comme associé permanent?

— Aussi permanent qu'il plaira à Dieu, fils.

— Mais...

Un autre sac s'est écrasé contre mes côtes. Je les ai massées en me tournant vers Jabeth.

— Je veux une part, moi aussi. Compte-moi dans le coup, Simon.

Lizzie n'a pas lancé son sac, qui était beaucoup plus petit mais pourrait néanmoins l'aider à s'établir. Elle s'est levée et l'a déposé entre mes mains.

— Parle-moi de ta nouvelle entreprise, Simon. S'il te plaît.

Eh bien j'ai d'abord ri, puis j'ai dû m'essuyer les yeux. Je me suis finalement mis à parler, en fixant les flammes qui montaient de notre petit feu vu que j'étais incapable d'affronter à ce moment précis leurs visages rayonnants d'une affection sincère.

— Je me suis arrêté cet après-midi au service du cadastre. Il enregistre les concessions revendiquées par les prospecteurs, et aussi par les éleveurs. Et la terre que nous avons traversée en dernier n'est pas mal du tout pour y élever du bétail. Ou des dindes. Et il y a des milliers et des milliers d'hectares disponibles.

## DIX-HUIT

Il était temps que je dresse enfin le bilan de l'aventure. Lizzie a écrit ce que je lui dictais, avec mes mots à moi, sans essayer de rien améliorer ou enjoliver. D'après elle, ça devait être du Simon Green tout pur.

Voici la lettre:

*Chère Miss Rogers,*

*J'espère sincèrement que la présente vous trouvera fraîche et dispose comme je le suis.*

*Je suis arrivé à Denver exactement comme vous l'aviez dit. Nous nous sommes très bien débrouillés, M. Peece, moi et Emmett. En chemin, nous avons enrôlé Jabeth, rencontré mon papa perdu depuis dix ans, et son bon à rien de tricheur professionnel d'ami, Cleaver, et puis sauvé Lizzie de la Prairie maudite. Mais je suppose que vous souhaitez surtout avoir des nouvelles de mes dindes. Vous ne le croirez jamais, mais je les ai vendues six dollars pièce!*

*Voilà comment le compte se présente :*

*930 dindes vendues 6 dollars pièce : 5 580 dollars*

*21 dindes perdues ou volées mais remboursées 5 dollars pièce : 105 dollars*

*16 dindes abattues par la cavalerie des États-Unis, mangées par les coyotes ou données de mon plein gré aux Potawatomis (une tribu indienne pacifique de chasseurs et de cultivateurs)*

*33 conservées pour mon nouveau troupeau.*

*L'ensemble des ventes se monte à un total de 5 685 dollars, sur lesquels je vous dois votre part de dix pour cent, soit 568 dollars 50, plus les 250 dollars que vous m'aviez prêtés pour que je puisse démarrer mon entreprise.*

*Cela fait en tout 818 dollars 50, que j'ai arrondis à 820 dollars parce que ça facilite les comptes. Je vous les envoie donc aujourd'hui comme promis. J'espère que la diligence ne sera pas attaquée par des bandits ou des Comanches (les Indiens sauvages de la région) ou quoi que ce soit du même genre.*

*Si vous avez envie de me répondre — ce que j'apprécierais énormément —, vous pouvez adresser votre lettre au « Grand Ranch de Dindes des Cinq » (ainsi nommé en l'honneur de M. Peece, de Jabeth, de Lizzie, de moi et d'Emmett, vu qu'il s'est décarcassé comme c'est pas permis pendant tout le voyage). Étincelle et ses frères et sœur en ont fait autant, mais, d'après M. Peece, les mules n'aspirent pas à l'immortalité. Envoyez-la à Denver, Colorado, et on veillera à ce que je la reçoive.*

> *Votre ami pour toujours,*
> *Simon Green.*

*P.-S.: Lizzie n'a que seize ans, mais elle s'exprime déjà aussi élégamment que vous. M. Peece dit qu'elle et moi devons attendre un an ou deux pour découvrir si nous nous aimons réellement comme nous le pensons. Entretemps, nous construisons aussi vite que nous le pouvons le bâtiment de plain-pied qui sera notre maison, et les abris pour nos dindes, nos mules et nos chevaux, afin que tout soit prêt avant les chutes de neige de cet hiver. Sûr et certain, c'est une chance que Lizzie ne soit plus sur un piédestal: on a besoin que chacun mette la main à la pâte. Même elle.*

## NOTE DE L'AUTEUR
### (ou : C'est arrivé pour de bon!)

Au temps où n'existaient ni les trains intercontinentaux, ni les autoroutes, ni les entreprises de camionnage, le seul moyen de livrer du bétail sur pied (ou sur pattes) aux divers marchés, c'était de l'y convoyer au pas ou au trot. On ne compte plus les récits et autres romans inspirés par les grands convois de bovins. Ni les films. Mais c'est à peine si quelqu'un se souvient des convois de dindes, qui exigeaient autant d'intrépidité.

Durant le XIX$^e$ siècle, des troupeaux emplumés, en partance d'élevages proches, étaient régulièrement acheminés pédestrement à Boston, et vers d'autres villes du Nord-Est. Toutefois, ces marches excédaient rarement les cinquante kilomètres. Mais ces voyages tournèrent à l'épopée dans le Far West. En 1863, un gentleman entreprenant conduisit à pied, du Missouri à Denver, un convoi de cinq cents dindes ne comprenant qu'un chariot attelé de mules, les volailles et leurs deux gardeurs. Un autre, à la même époque, entreprit la même chose en sens inverse, en menant ses volailles de la Californie au grand marché de Carson City dans le Nevada alors en plein essor, ce qui lui rapporta assez d'argent pour lui permettre d'édifier une des plus solides fortunes d'éleveurs de bétail.

Ces intrépides pionniers m'ont inspiré la longue marche de ces dindes.